C0-AMQ-259

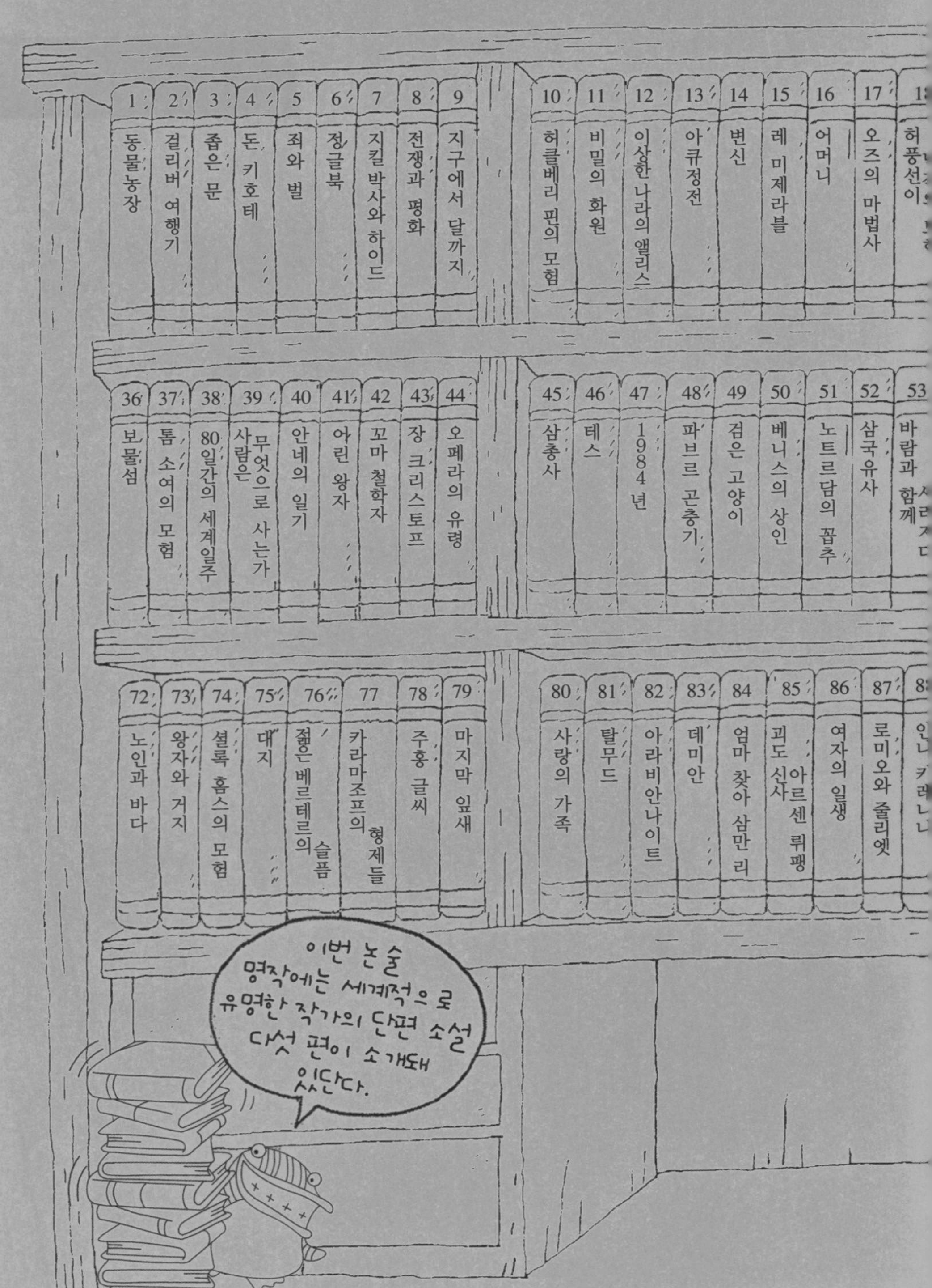
1 동물농장
2 걸리버 여행기
3 좁은 문
4 돈 키호테
5 죄와 벌
6 정글북
7 지킬 박사와 하이드
8 전쟁과 평화
9 지구에서 달까지
10 허클베리 핀의 모험
11 비밀의 화원
12 이상한 나라의 앨리스
13 아큐정전
14 변신
15 레 미제라블
16 어머니
17 오즈의 마법사
36 보물섬
37 톰 소여의 모험
38 80일간의 세계일주
39 사람은 무엇으로 사는가
40 안네의 일기
41 어린 왕자
42 꼬마 철학자
43 장 크리스토프
44 오페라의 유령
45 삼총사
46 테스
47 1984년
48 파브르 곤충기
49 검은 고양이
50 베니스의 상인
51 노트르담의 꼽추
52 삼국유사
72 노인과 바다
73 왕자와 거지
74 셜록 홈스의 모험
75 대지
76 젊은 베르테르의 슬픔
77 카라마조프의 형제들
78 주홍 글씨
79 마지막 잎새
80 사랑의 가족
81 탈무드
82 아라비안나이트
83 데미안
84 엄마 찾아 삼만 리
85 괴도 신사 아르센 뤼팽
86 여자의 일생
87 로미오와 줄리엣
이번 논술 명작에는 세계적으로 유명한 작가의 단편 소설 다섯 편이 소개돼 있단다.

20 제인 에어
21 올리버 트위스트
22 피터 팬
23 위대한 개츠비
24 닐스의 이상한 모험
25 오만과 편견
26 로빈슨 크루소
27 홍당무
28 타임머신
29 파우스트
30 파랑새
31 톰 아저씨의 오두막
32 폭풍의 언덕
33 작은 아씨들
34 알프스 소녀 하이디
35 크리스마스 캐럴
55 키다리 아저씨
56 해저 2만 리
57 별
58 적과 흑
59 압록강은 흐른다
60 시턴 동물기
61 도리언 그레이의 초상
62 난중일기
63 쿠오바디스
64 몬테크리스토 백작
65 빨간 머리 앤
66 15소년 표류기
67 구운몽
68 목로주점
69 부활
70 일리아드
71 모비 딕
89 사랑의 요정
90 눈의 여왕
91 말괄량이 길들이기
92 악동 일기
93 사랑의 학교
94 플랜더스의 개
95 플루타르크 영웅전
96 그리스 로마 신화
97 인형의 집
너새니얼 호손의 〈큰 바위 얼굴〉, 안톤 체호프의 〈귀여운 여인〉, 빅토르 위고의 〈가난한 사람들〉도 실려 있어.
모파상의 〈목걸이〉와 오스카 와일드의 〈행복한 왕자〉가 실려 있지.
여러 작가의 단편을 한 권으로 읽는 재미가 아주 쏠쏠할 거야.
논술 명작 98
세계 우수 단편 모음

아이세움 논술 | 명작 98

세계 우수 단편 모음

감수 방민호

서울대 국문과, 같은 과 대학원을 졸업했습니다. 제1회 창비신인평론상과 제18회 김달진문학상을 수상했으며, 현재 서울대 국문과 교수로 재직 중입니다. 〈비평의 도그마를 넘어〉, 〈문명의 감각〉을 비롯한 많은 책을 쓰고 엮었습니다.

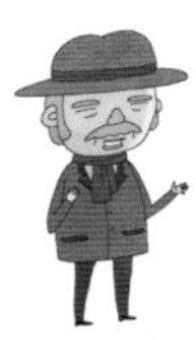

아이세움 논술 | 명작 98

세계 우수 단편 모음

원작 기 드 모파상 외 | **엮음** 서필원 | **그림** 김진호 | **감수** 방민호

펴낸날 2011년 3월 30일 초판 1쇄, 2013년 10월 25일 초판 5쇄

펴낸이 김영진

본부장 조은희 | **사업실장** 이영호

편집장 박철주 | **편집 · 진행** 박은식, 백한별, 이미호 | **디자인** 강륜아

펴낸곳 (주)미래엔 | **주소** 서울시 서초구 잠원동 41-10

전화 마케팅 02)3475-3843~4 편집 02)3475-3924 | **팩스** 02)541-8249

등록 1950년 11월 1일 제16-67호 | **홈페이지** www.i-seum.com

ISBN 978-89-378-4987-9 74800

ISBN 978-89-378-4116-3 (세트)

· 책값은 뒤표지에 있습니다.

· 파본은 구입처에서 교환해 드리며, 관련 법령에 따라 환불해 드립니다. 다만, 제품 훼손 시 환불이 불가능합니다.

Mirae N 아이세움은 (주)미래엔의 어린이책 브랜드입니다.

아이세움 논술 | 명작 98

세계 우수 단편 모음

기 드 모파상 외 원작

서필원 엮음 | 김진호 그림

| 머리말 |

명작은 인간과 사회를 이해하는 첫걸음입니다

많은 사람들에게 재미와 감동을 주는 탁월한 작품을 명작이라고 합니다. 그중 시간과 공간을 초월하여 변함없이 사랑 받아온 작품을 고전이라고 하지요.

우리는 어릴 때부터 고전과 명작 읽기의 중요성에 대해 배워 왔습니다. 고전 명작이 소중한 이유는 그 안에 인간과 사회에 대한 작가의 치열한 상념이 녹아 있기 때문입니다. 탄탄한 서사 구조 속에 재미와 감동은 물론, 시대를 대변하는 보편적인 가치가 반영되어 있기 때문입니다.

따라서 고전 명작을 읽을 때에는 작품 속 주제의식이나 작가의 세계관을 올바로 이해하려는 노력이 필요합니다. 작가가 작품을 쓰던 당시의 사회적 배경이 어떠하였는지, 또 작품에서 가장 중요하게 다루고 있는 논쟁거리가 무엇인지에 대해 깊이 고민해야 합니다. 주제, 줄거리 등을 단편적으로 암기하는 것이 아니라 작가와 교감을 통해 인간과 사회에 대한 이해를 넓혀나가는 것입니다. 이런 노력이 뒷받침되어야 우리는 비로소 고전 명작을 읽었다라고 이야기할 수 있습니다.

〈아이세움 논술 | 명작〉은 고전 명작이 어른들의 전유물이라는 편견을 버리고, 재미있는 삽화와 쉬운 문장으로 구성되어 있습니다. 그리고 작품을 읽기 전에 작품을 둘러싼 시대사적 배경을 알려 주고 읽은 후에는 작품에 대해서 토론하면서 생각할 수 있도록 구성되어 있습니다. 어린 독자들이 고전에 친숙해 줄 수 있는 기회를 주는 책이라고 생각합니다.

어린 시절에 읽는 양서 한 권이 어린이의 미래를 바꿉니다. 부디 〈아이세움 논술 | 명작〉으로 세계를 바라보는 안목을 높이고 자기만의 세계를 공고히 다져나가기 바랍니다.

서울대학교 국어국문학과 교수

방민호

명작 읽기의 소중함

열심히 책만 읽기에는 너무 고단한 우리 학생들에게 다시 '논술' 열풍이 불고 있다. 학생들이 스스로 즐겨 그렇게 된 것은 아니지만, 학생들을 위해 결코 나쁜 일이라고만 말할 수는 없을 것이다.

새삼스러운 얘기일 터이지만 좋은 글을 쓸 수 있는 가장 빠른 길은 "많이 읽고(다독多讀) · 많이 쓰고(다작多作) · 많이 생각(다상량多商量)" 하는 삼다(三多)밖에 다른 것이 없다.

먼저 다독이 문제다. 많이 읽는다고 해서 아무 책이나 마구잡이로 읽는 것을 다독이라고 하지는 않는다. 많이 읽되, 좋은 책을 읽을 때 그것이 다독이다. 그렇다면 어떤 책이 좋은 책일까?

우선 고전이라 할 명작에는 사람이 세상을 살면서 알아야 할 온갖 삶의 지혜와 가치가 담겨 있다. 가령 〈지킬 박사와 하이드〉에서는 인간 내면에 혼재해 있는 선과 악의 대립을, 〈동물농장〉

에서는 삶을 한없이 타락시키는 전체주의와 아름다운 삶을 지향하는 인간의 무한한 이상의 끊임없는 갈등과 투쟁에 대한 반추를 해 볼 수 있다. 이런 고전을 재미있게 읽고 생각하는 기회를 갖는 것이 바로 좋은 글을 쓸 수 있는 바탕이다. 문제는 고전이 너무 어렵고 분량이 방대하다는 점이다.

이번에 출간된 〈아이세움 논술 | 명작〉은 원전의 내용을 재구성해 어린 학생들이 쉽게 고전과 친해지도록 만들었다. 지루함을 덜기 위해 캐릭터를 사용해서 그 캐릭터들과 끊임없이 교감하며 끝까지 책을 손에서 놓지 못하게 만든 것도 이 시리즈의 특색이요 장점일 터이다. 책 뒤에 논술을 학습할 수 있도록 논술 워크북과 가이드북을 제공하여 '학습과 논술'이라는 두 문제를 다 해결할 수 있도록 배려한 점도 주목할 만하다. 어린 학생들이 편안하고 소중한 독서 경험을 하리라 본다.

물론 이 명작선은 완역본이 아니므로 이것만 읽어서는 해당 작품을 제대로 읽었다고 말할 수 없을 것이다. 그러나 훗날 학생들이 성장하여 완역본으로 다시 읽고 올바르게 이해하는 데 큰 도움이 되도록 세심한 배려를 했다.

이 점도 이 시리즈가 귀하고 값진 이유이다.

시인

신경림

| 차 례 |

나는 뒤뚱이.
<세계 우수 단편 모음>에
실린 다섯 편의 이야기가
감동을 안겨 줄 거야.

나는 번빠리.
다섯 편 모두 삶의 지혜와
교훈을 얻을 수 있는
이야기들이야.

<가난한 사람들>은
어떤 내용일까
무척 궁금한걸.

난 빨리 가서
<행복한 왕자>를
읽을래!

고로케 박테리아 튜브 팬티맨

PART 1

명작 살펴보기

다섯 편의 단편 소설을 읽으며
독서의 즐거움에 빠져 봐!

명작 살펴보기

독서를 하면
다양한 경험을 쌓을 수도
있고 폭넓은 지식을
얻을 수도 있단다.

독서삼매경에 빠진 뒤뚱이와 번빠리

번빠리와 뒤뚱이와 팬티맨이 독서삼매경에 빠져 있어요. 무슨 책들을 읽고 있는지 맛있는 간식을 앞에 두고도 먹을 생각을 하지 않네요. 도대체 무슨 책을 읽고 있는지 알아볼까요?

얘들아, 내가 맛있는 간식 사 왔어!

웬일들이지? 꿈쩍도 하지 않고 책만 보고 있어.

<목걸이>의 주인공 마틸드는 헛된 허영심 때문에 인생을 허비했어.

이제 <행복한 왕자> 읽어야지.

-mart

어, 왔어?

이제 박테리아와 고로케마저 독서삼매경에 빠졌어요. 〈목걸이〉, 〈행복한 왕자〉, 〈가난한 사람들〉 등 지혜와 따뜻한 사랑이 담긴 이야기에 푹 빠졌나 봐요. 얼마나 재미있기에 간식 먹는 것도 잊었는지 **우리도 한번 읽어 볼까요?**

살아가면서 지녀야 할 소중한 가치

〈세계 우수 단편 모음〉은 전 세계적으로 유명한 작가들의 단편 소설 가운데 큰 감동을 주는 이야기를 뽑아 엮었어요. 프랑스의 자연주의 작가 기 드 모파상의 〈목걸이〉와 영국의 시인이자 소설가인 오스카 와일드의 〈행복한 왕자〉, 미국의 소설가 너새니얼 호손의 〈큰 바위 얼굴〉, 러시아의 소설가이자 극작가인 안톤 체호프의 〈귀여운 여인〉, 프랑스의 시인이자 소설가인 빅토르 위고의 〈가난한 사람들〉이 실려 있지요.

한 젊은 여인이 헛된 욕망과 허영심 때문에 고달픈 삶을 살게 된다는 내용의 〈목걸이〉와 위대한 인간이 지녀야 할 가치는 돈이나 권력, 명성이 아니라 진실하고 겸손한 태도라는 것을 전해 주는 〈큰 바위 얼굴〉은 인간이 살아가면서 지녀야 할 소중한 가치가 무엇인지 일깨워 주고 있답니다.

가난한 이웃에게 베푸는 나눔과 사랑

〈도리언 그레이의 초상〉으로 유명한 19세기 영국 최고의 작가 오스카 와일드는 동화 작가이기도 했어요. 이 책에 실린 〈행복한 왕자〉를 비롯해 〈거인의 정원〉, 〈별 아기〉 등이 특히 많은 사랑을 받고 있는 와일드의 동화랍니다.

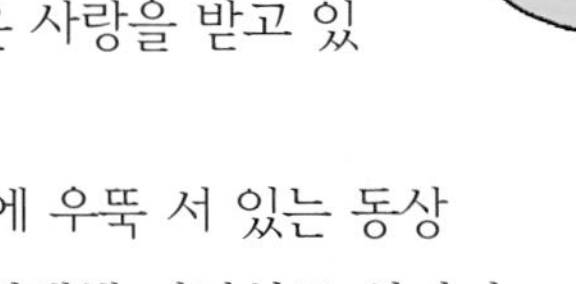

가난한 이웃에게
사랑을 베푼다는 것은
많이 가진 사람만이 할 수
있는 일이 아니란다.

〈행복한 왕자〉는 도시의 한복판에 우뚝 서 있는 동상 행복한 왕자가 자기의 모든 것을 희생해 가난하고 안타까운 처지에 놓인 이웃들에게 희망을 안겨 준다는 내용을 담고 있어요.

프랑스 낭만주의의 거장 빅토르 위고의 〈가난한 사람들〉 역시 비참할 정도로 가난한 어부와 그의 아내가 자신들보다 더 어려운 처지에 놓인 이웃에게 따뜻한 인정을 베푸는 모습이 감동적인 이야기랍니다.

한눈에 살펴보기
난 어니스트. 큰 바위 얼굴을 닮은 사람이 나타날까?
난 어부. 아무리 가난해도 불행한 이웃을 모른 척할 수는 없는 법이지.
난 자니. 죽어가는 아이들을 두고 볼 수가 없었어.

단편 소설은
분량은 짧지만 깊은
의미를 담고 있어 큰
감동을 준단다.

단편 소설의 묘미를 느껴 보세요!

보통 200자 원고지 70매 내외의 길이가 짧은 형태의 소설을 단편 소설이라고 해요. 단편 소설은 단순한 줄거리와 치밀한 구성, 간결한 문체가 특징이에요. 앉은 자리에서 한 번에 다 읽을 수 있는 게 장점인 단편 소설은 그렇기 때문에 읽고 난 뒤에 더 강렬하게 인상에 남지요.

정확하고 간결한 문체와 극적인 반전이 인상적인 모파상의 〈목걸이〉, '따뜻한 세상'을 꿈꾸는 행복한 왕자를 통해 나눔과 베풂의 의미를 환상적인 문체로 전하는 와일드의 〈행복한 왕자〉, 진실하고 소박한 삶을 살아가는 어니스트를 통해 인간이 추구해야 할 삶의 가치가 무엇인지를 일깨워 주는 호손의 〈큰 바위 얼굴〉을 읽으며 단편 소설이 주는 묘미를 느껴 보세요!

▲ 아일랜드 더블린의 메리온 공원에 있는 오스카 와일드의 동상이에요.

모파상의 〈목걸이〉는
단편 소설의 교과서로
꼽히는 작품이야.

잠시 휴식! 만주를 먹고 〈세계 우수 단편 모음〉을 읽어 보세요!

PART 2

명작 읽기

지혜와 따뜻한 사랑을
배울 수 있는 이야기 속으로
들어가 볼까?

PART 2

명작 읽기

1장
목걸이

운명의 장난이랄까, 간혹 가난한 서민 가정에서 예쁘고 귀여운 여자아이가 태어나는 일이 있다. 아름답고 매력적인 마틸드 역시 가난한 가정에서 태어났다. 마틸드는 결혼 지참금도, 물려받을 유산도 없어 돈 많은 남자를 만나 결혼하는 것은 꿈도 꿀 수 없었다.

마틸드는 교육부에 다니는 하급 관리가 청혼을 하자 결혼해 버렸다. 화려하게 치장할 만한 형편이 못 되었으므로 늘 수수하게 차려입어야만 했다. 그녀는 자신의 이런 처지가 늘 불만이었다. 여자란 타고난 신분이 하찮더라도 아름답고 매력적인 외모를 갖고 태어났으면 가문이나 혈

통과 상관없이 높은 신분의 귀부인과 어깨를 나란히 할 수도 있다고 생각했다.

아름다운 외모가
마틸드에게 허영심을
불러일으켰어.

자신을 세상의 온갖 쾌락快樂과 사치를 즐기기 위해 태어난 사람이라고 생각해 온 마틸드에게 매일매일의 구차스러운 삶은 고통의 연속일 뿐이었다.

그녀가 항상 꿈에 그리는 것은 비싸고 우아한 가구들로 꾸며진 거실 벽에 동양풍의 벽걸이가 걸려 있고, 청동으로 만든 촛대에 불꽃이 타오르는 풍경이었다. 또 모든 사람이 부러워하는 유명 인사들과 오후 5시에 모여 그윽한 차 향기가 풍기는 멋진 살롱에서 고상한 대화를 나누는 것을 상상했다. 이렇듯 마틸드는 늘 화려한 생활, 아름다운 옷, 멋진 사교생활을 꿈꾸었다.

그러나 현실은 그녀의 꿈과는 거리가 멀었다. 초라한

쾌락(快樂) : 유쾌하고 즐거움. 또는 감성이나 욕망의 충족에서 오는 유쾌한 감정.

집, 얼룩진 벽, 낡은 의자, 칙칙하게 바랜 커튼 등을 보는 것은 괴로움의 씨앗이었다.

저녁 식사 시간이 되어 삐걱거리는 식탁에 차려진 음식을 보고 남편 르와젤이 말했다.

"수프가 아주 맛있겠는걸! 이보다 맛있는 건 세상에 없을 거야!"

마틸드는 초라한 식탁에 만족하는 남편을 마음속으로 비웃었다. 그녀는 반짝반짝 윤이 나는 은 식기, 꽃의 요정이 사는 숲의 화려한 깃털을 가진 새나 옛날이야기에 등장하는 인물이 수놓인 벽화, 금 촛대로 장식된 식탁에 차려진 산해진미를 떠올렸다.

마틸드는 변변한 나들이옷도 보석도 없었다. 그러나 불행하게도 그녀가 좋아하고 원하는 것은 그런 것뿐이었다. 자기는 화려한 옷과 휘황찬란한 보석으로 치장하고 우아하게 살도록 이 세상에 태어났다는 생각이 들 때면 괴로워 미칠 지경이었다.

그녀에게는 수도원 학교 동창인 부자 친구가 한 명 있

음식을 앞에 놓고
감사할 줄 모르면 벌을
받는다오. 우리 맛있게
먹읍시다.
저런 초라한 식탁에
만족할 수 없어.

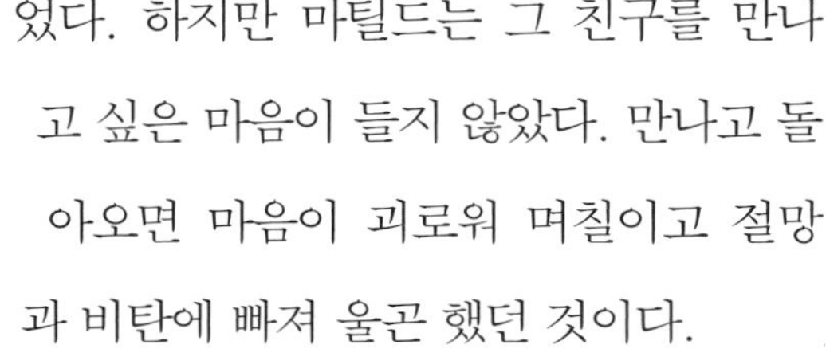

마틸드, 주어진
현실에 만족하고 감사할
줄 알아야 행복한 삶을
살 수 있다는 걸
명심하라고!

었다. 하지만 마틸드는 그 친구를 만나고 싶은 마음이 들지 않았다. 만나고 돌아오면 마음이 괴로워 며칠이고 절망과 비탄에 빠져 울곤 했던 것이다.

어느 날 저녁 집에 돌아온 남편이 봉투를 내밀며 기쁨에 들뜬 목소리로 말했다.

"이거 당신에게 주는 선물이야."

마틸드가 봉투를 열어 보니 카드가 한 장 들어 있었다. 카드에는 이렇게 적혀 있었다.

교육부 장관과 그의 부인 조르주 랑포노 여사가 오는 1월 8일 월요일 밤 관저官邸에서 무도회를 열 예정이니 르와젤 씨 부부께서는 부디 참석해 주시기 바랍니다.

"저더러 어쩌란 말이죠?"

관저(官邸) : 정부에서 장관급 이상의 고위 관리들이 살도록 마련한 집.

마틸드는 짜증을 내며 식탁 위에 초대장을 내던졌다. 아내가 좋아할 거라고 생각했던 르와젤은 당황스러웠다.

"여, 여보, 난 당신이 기뻐할 줄 알았는데……. 이 초대장을 얻으려고 얼마나 애를 썼는지 아오? 원하는 사람이 많은데다, 더구나 아랫사람들에겐 몇 장 나오지도 않았어. 가 보자고. 유명 인사들이 많이 참석하거든."

마틸드는 약이 올라 시뻘게진 얼굴로 남편의 얼굴을 쳐다보다가 참을 수 없다는 듯 소리쳤다.

"대체 뭘 입고 가라는 거죠?"

"극장에 갈 때 입는 옷 있잖소. 꽤 좋아 보이던데……."

르와젤은 더 이상 말을 잇지 못했다. 아내의 눈에서 커다란 눈물방울이 입가로 주르르 떨어지는 것을 보았던 것이다.

"왜, 왜 그래?"

괴로운 마음을 가까스로 진정시킨 마틸드는 젖은 볼을 닦으며 말했다.

"아무것도 아니에요. 저는 입고 갈 옷이 없어 못 가요.

좋은 옷을 가진 부인이 있는 동료 어느 분에게나 초대장을 줘 버리세요."

"마틸드, 얼마쯤이면 살 수 있는 거야? 그런 데 입고 가도 부끄럽지 않고 다른 때도 입을 만한 그런 옷 말이야."

잠시 생각하던 마틸드는 주저하면서 대답했다.

"400프랑만 있으면 남 보기에 부끄럽지 않은 옷을 마련할 수 있을 거예요."

르와젤의 얼굴이 창백해졌다. 꼭 그만큼의 돈을 모아 둔 터였다. 오는 여름휴가 때 친구들과 사냥을 갈 예정이었는데, 그때 필요한 엽총을 사려고 모아 둔 돈이었다.

"좋아! 어떻게든 만들어 보지. 대신 멋진 옷이어야 해."

무도회가 열리는 날이 가까워질수록 마틸드는 침울하고 불안해 보였다. 나들이옷은 이미 준비돼 있었다.

저녁에 집에 돌아온 르와젤이 물었다.

"무슨 일이야? 당신 사흘 전부터 뭔가 이상해."

"보석은커녕 돌멩이 하나도 없어요. 궁상스러워 보일 거예요. 무도회엔 차라리 안 가는 편이 나을 것 같아요."

당신 무슨 걱정이라도 있는 거요?
무도회에 하고 갈 보석이 없어요. 차라리 안 가는 게 좋겠어요.

"꽃을 달면 되잖아. 계절이 계절인 만큼 산뜻해 보이지 않겠어? 10프랑만 주면 예쁜 장미꽃 두세 송이는 살 수 있을걸."

마틸드는 코웃음을 쳤다.

"꽃을 달고 가라고요? 싫어요. 화려하게 치장한 여자들 틈에 끼어 궁색한 꼴을 보이고 싶지 않아요."

"당신도 참 딱하군! 당신 친구 중에 포레스티에 부인이 부자라고 하지 않았소? 그 친구에게 가서 좀 빌려 달라고 하면 되잖아."

그녀는 손뼉을 치며 환호성을 질렀다.

"참, 그래요. 왜 그 생각을 못했지."

다음 날 그녀는 친구를 찾아가 자기의 딱한 사정을 이야기했다. 포레스티에 부인은 거울이 달린 장롱에서 커다란 보석 상자를 꺼내 와 열어 보이며 마틸드에게 말했다.

"자, 마음에 드는 걸로 골라 봐."

마틸드는 먼저 팔찌를 보고 나서 진주 목걸이와 금과 보석을 뛰어난 솜씨로 세공한 베네치아산 십자가 브로치를 차례로 살펴보았다. 마틸드는 거울 앞에 서서 이것저것 달아 보며 망설였다.

"딴 건 없니?"

"더 있어. 찾아 봐. 어떤 게 네 마음에 들는지 나는 모르겠구나."

마침내 마틸드는 원하던 것을 찾았다. 까만 공단에 싸인 상자 속에 찬란한 빛을 발하는 다이아몬드 목걸이가 그녀의 눈을 사로잡았다. 그녀의 가슴은 억제할 수 없는 욕망欲望으로 울렁거렸다. 목걸이를 집어 올리는 그녀의 손이 떨렸다. 깃이 달린 옷 위로 목걸이를 걸어 본 마틸드는 거울 속의 자기 모습에 도취됐다.

"이거 빌려 줄 수 있어? 이게 마음에 드는데……."

"그럼, 빌려 줄게."

욕망(欲望) : 부족을 느껴 무엇을 가지거나 누리고자 탐하는 마음.

친구의 목을 껴안고 마구 입을 맞춘 마틸드는 다이아몬드 목걸이를 들고 도망치듯 집으로 돌아왔다.

무도회에 참석한 마틸드는 인기를 독차지했다. 그녀는 어느 여자보다 아름답고 매력적이었다. 우아한 미소를 잃지 않았으며, 기쁨에 들뜬 얼굴은 생기가 넘쳐흘렀다. 모든 남자들이 그녀에게서 눈을 떼지 못하며 소개 받고 싶어 했다. 무도회에 참석한 고위 관리들 모두 그녀에게 춤을 신청했다. 장관조차도 그녀를 유심히 바라보았다. 마틸드는 자기의 미모가 가져온 승리와 영광을 만끽하며 황홀하게 춤을 추었다.

무도회는 새벽 4시가 되어서야 끝이 났다. 르와젤은 돌아갈 때 입으려고 가져온 옷을 마틸드의 어깨에 걸쳐 주었다. 평상시 입는 소박한 옷으로 무도회의 화려한 의상과는 전혀 어울리지 않았다. 마틸드는 화려한 모피로 휘감은 귀부인들에게 초라한 꼴을 들키고 싶지 않았다. 그녀는 도망치듯 밖으로 뛰어나갔다.

"기다려! 그대로 밖에 나갔다가는 감기에 걸리고 말 거야. 내가 얼른 가서 마차를 불러올게."

르와젤이 외쳤지만 마틸드는 아랑곳하지 않고 재빨리 계단을 내려갔다. 뒤따라온 르와젤이 마차를 잡으려고 했지만 마차는 한 대도 눈에 띄지 않았다. 두 사람은 추위에 달달 떨면서 센 강 쪽으로 걸어 내려갔다. 센 강가에 도착해서야 겨우 낡아 빠진 작은 마차 한 대를 잡았다. 대낮의 파리에서는 초라한 모습이 부끄러워 돌아다니지 못하고 밤에만 손님을 태우는 마차였다. 초라한 마차를 타고 두 사람은 집에 도착했다.

집 안으로 들어선 마틸드는 어깨에 두른 옷을 벗어 던지고 자기의 화려한 모습을 다시 한 번 보기 위해 거울 앞에 섰다.

"앗! 여, 여보!"

외투를 벗던 르와젤이 돌아보았다.

"왜 그래?"

마틸드는 창백해진 얼굴로 더듬거렸다.

"저, 저…… 목걸이가 없어졌어요."

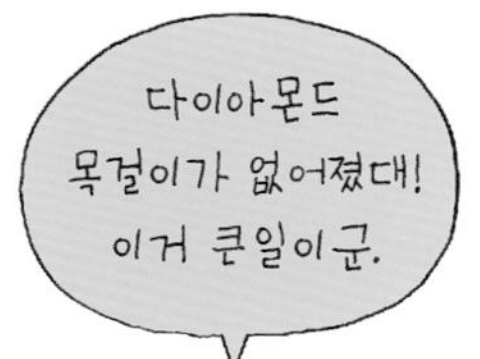

여보, 목걸이가 없어졌어요!
뭐라고? 목걸이가 없어졌다고?

"뭐, 뭐라고? 설마……."

둘은 함께 드레스 갈피와 외투의 주머니 속까지 다 찾아보았다. 목걸이는 어디에도 없었다.

르와젤은 몇 번이나 물었다.

"관저에서 나올 때는 분명히 있었어?"

"그럼요. 현관을 나올 때 손으로 만져 본 걸요."

"만일 길거리에서 없어졌다면 떨어지는 소리라도 났을 텐데……. 마차 안에 떨어뜨린 것이 분명하군."

"그런 것 같아요. 마차 번호 봤어요?"

"아니, 당신은? 당신은 봤어?"

"못 봤어요."

두 사람은 절망적인 눈빛으로 마주 보았다. 르와젤은 벗었던 외투를 다시 입었다.

"우리들이 왔던 길을 다시 한 번 가 보고 올게. 혹시 찾을지도 모르니까."

르와젤은 서둘러 밖으로 나갔다. 마틸드는 옷도 갈아입지 않은 채 의자에 멍하니 앉아 있었다.

르와젤은 경찰서에도 가고 신문사에도 가서 분실물紛失物 신고를 했다. 마차 조합에도 가 보았다. 목걸이를 찾을 가능성이 조금이라도 있는 곳은 한 군데도 빼놓지 않고 찾아다녔다.

마틸드는 끔찍한 재난 앞에서 넋을 잃고 남편을 기다렸다. 르와젤은 저녁이 이슥해서야 해쓱해진 얼굴로 돌아왔다. 목걸이는 찾지 못했다.

"포레스티에 부인에게 목걸이 고리가 망가져 수리하러 보냈다고 편지를 쓰도록 해. 그사이 목걸이를 더 찾아보도록 합시다."

마틸드는 남편이 일러 주는 대로 편지를 썼다.

일주일이 지나자 목걸이를 찾을 희망은 영영 사라져 버렸다. 르와젤은 며칠 새 대여섯 살은 더 늙어 보였다.

다음 날 부부는 목걸이가 들어 있던 상자를 들고 상자에 쓰여진 이름의 보석상을 찾아갔다. 보석상 주인은 장

분실물(紛失物) : 자기도 모르는 사이에 잃어버린 물건.

부를 살펴보더니 말했다.

“목걸이는 저희가 팔지 않았습니다, 부인. 아마 상자만 팔았나 봅니다.”

부부는 이 보석상에서 저 보석상으로 비슷한 목걸이를 찾아 헤맸다. 마침내 한 상점에서 포레스티에 부인에게 빌려 온 것과 똑같아 보이는 다이아몬드 목걸이를 발견했다. 값은 4만 프랑이라고 했다. 그러나 3만6천 프랑까지 깎아 준다고 했다. 두 사람은 사흘 동안만 목걸이를 팔지 말아 달라고 보석상 주인에게 신신당부했다. 2월 말까지 원래 목걸이가 발견되면 3만4천 프랑에 물러 준다는 약속도 받았다.

허영심을 채우기
위해 빌린 목걸이 때문에
평생을 빚에 허덕여야 한다니
참으로 안타깝군.

르와젤은 돌아가신 아버지가 물려준 1만8천 프랑을 갖고 있었다. 나머지는 빌려야 했다. 르와젤은 여기저기 뛰어다니며 돈을 꾸었다. 이 사람에게 1000프랑, 저 사람에게 500프랑 하는 식으로 돈을 빌렸다. 평생을 몽땅 바쳐도 갚을 수 있을지는 생각할 겨를도 없었다.

마틸드는 새 다이아몬드 목걸이를 사러 보석상에 갔다. 계산대 위에 3만6천 프랑을 올려놓는 그녀의 손이 사정없이 떨렸다.

마틸드가 목걸이를 돌려주러 갔을 때 포레스티에 부인은 약간 기분이 상한 듯 쌀쌀한 말투였다.

"좀 더 일찍 가져다줬어야지. 나도 언제 필요할지 모르는데……."

마틸드는 친구가 상자를 열어 볼까 봐 두려웠다.

'물건이 바뀐 것을 알아차리면 어쩌지? 빌려 준 것과 똑같은 목걸이로 가져오라고 하면 어떡하지?'

분수에 넘치는
허영심에는 대가가
따르는 법이지.

다행히 포레스티에 부인은 보석 상자를 열어 보지 않았다.

이후 마틸드는 하루하루 끼니를 걱정해야 할 정도로 궁핍한 생활을 해야만 했다. 각오를 단단히 한 그녀는 비장한 결심을 했다.

“빚을 갚아야만 해! 무조건 갚아야 해!”

집도 지붕 밑 다락방으로 이사했다.

마틸드는 허름한 옷차림으로 바구니를 팔에 건 채 푸줏간이나 야채 가게에서 반찬값을 깎느라 욕을 얻어먹으면서도 악착같이 한 푼 두 푼 모았다.

르와젤은 빚을 갚기 위해 밤마다 어느 상점의 장부를 정리하는 일을 했다. 때로 한 페이지에 5스우를 받고 서류를 베껴 적는 일까지 해야 했다.

이런 생활은 10년이나 계속됐다.

10년이 지나서야 두 사람은 빚을 한 푼도 남기지 않고 모조리 갚았다. 터무니없는 고리대금 이자에 쌓이고 쌓인 이자의 이자까지 완전히 다 갚은 것이다.

그사이 마틸드는 폭삭 늙어 버렸다. 궁핍한 살림 때문에 드세고 가난에 찌든 아줌마가 되었다. 제대로 빗질을 하지 못한 머리에 치마가 볼품없이 구겨져도 개의치 않았다. 굵은 목소리로 지껄여 대며 벌게진 손으로는 물을 첨벙거리면서 마루를 닦았다.

이따금 남편이 직장에 나간 뒤 한가할 때면 창가에 앉아 옛날 그날 밤 무도회에서 있었던 일을 떠올리며 황홀해했다. 아름답게 차려입고 모든 남자의 찬사를 받으며 여왕처럼 행세行勢하던 그날 밤의 일을 떠올리며 생각에 잠기곤 했다.

그 목걸이를 잃어버리지 않았다면 어떻게 됐을까? 누가 알 수 있으랴! 인생이란 참으로 기묘하고, 참으로 변화무쌍한 것이다. 아주 사소한 것이 한 사람을 파멸시키거나 반대로 구원救援하기도 하는 것이 인생이다.

어느 일요일, 마틸드는 고된 일상에서 벗어나 잠시 여유를 찾고 싶어 샹젤리제로 산책을 나갔다. 그때 아이를 데리고 산책하는 여인의 모습이 눈에 띄었다. 포레스티에 부인이었다. 그녀는 여전히 젊고 여전히 매력적이었다.

마틸드는 뭔가 뭉클 치밀어 오르는 걸 느꼈다.

행세(行勢) : 해당되지 아니하는 사람이 어떤 당사자인 것처럼 처신하여 행동함.
구원(救援) : 어려움이나 위험에 빠진 사람을 구하여 줌.

'이제 말해도 되지 않을까? 빚은 전부 갚았으니까 털어놔도 되겠지? 이야기 못할 게 뭐람?'

마틸드는 친구에게 다가갔다.

"잘 지냈어, 잔느?"

포레스티에 부인은 마틸드를 알아보지 못했다. 허름한 옷차림의 여인이 허물없이 친구처럼 부르는 것에 놀란 그녀는 말을 더듬었다.

"실, 실례지만 사람을 잘못 본 게……."

"나 마틸드 르와젤이야."

"뭐, 마틸드라고? 그런데 왜 이렇게 변했어?"

"그래, 많이 변했지? 그동안 고생을 좀 했어. 그게 다 너 때문이었어."

"나 때문이라고? 그게 무슨 소리야?"

"기억나니? 그 다이아몬드 목걸이 말이야. 내게 빌려 준……."

"그럼 기억하지. 그게 어쨌다는 거니?"

마틸드가 그 동안
얼마나 고생을 했으면
친구가 얼굴도
못 알아볼까?

잃어버린 목걸이 때문에 10년간 빚을 갚느라 엄청 고생했단다.
마틸드, 어쩜 좋아! 그 목걸이는 500프랑밖에 되지 않는 가짜였어.

"그게 말이야. 그걸 내가 잃어버렸어."

"뭐라고? 하지만 돌려줬잖아."

"아주 비슷한 다른 걸로 사서 돌려준 거였어. 목걸이를 새로 사느라 빌린 돈을 갚는 데 꼭 10년이 걸렸구나. 너도 잘 알겠지만 가난뱅이에게는 그리 쉽지 않은 일이었어. 아무튼 이제 다 갚았어. 얼마나 마음이 후련한지 몰라."

얼굴이 사색이 된 포레스티에 부인이 물었다.

"내 것 대신 다른 다이아몬드 목걸이를 사서 돌려주었단 말이야?"

"응, 그래. 너 아직껏 몰랐구나. 하긴 모양이 똑같은 목걸이였으니까."

그녀는 자랑스러운 듯 순진한 웃음을 지었다.

포레스티에 부인은 친구의 두 손을 꼭 쥐었다.

"어쩜! 어떡하면 좋아, 마틸드! 내건 가짜였어. 기껏해야 500프랑밖에 나가지 않는……."

2장

행복한 왕자

도시가 한눈에 내려다보이는 둥글고 높다란 돌기둥 위에 행복한 왕자의 동상이 우뚝 서 있었다. 온몸이 금으로 덮인 행복한 왕자의 두 눈에는 반짝이는 사파이어가 박혀 있었고, 칼자루에 박힌 커다랗고 빨간 루비는 햇빛을 받아 반짝이고 있었다.

지나가는 사람들마다 동상을 보며 감탄했다. 어느 시의원은 예술을 아는 사람이라는 평판을 듣고 싶어 이런 표현을 쓰기도 했다.

"마치 풍향계의 수탉처럼 아름답군."

그러고는 사람들이 자기를 현실적이지 못한 사람이라고 생각할까 봐 이렇게 덧붙였다.

"물론 풍향계만큼 쓸모는 없지만……."

어린 아들이 달을 따 달라고 떼를 쓰며 막무가내로 울어 대면 지혜로운 어머니는 동상을 가리키며 말했다.

"얘야, 저 행복한 왕자님을 좀 보렴. 행복한 왕자님은 절대로 너처럼 떼를 쓰며 울지 않는단다."

절망과 실의에 빠진 어떤 남자는 행복한 왕자의 동상을 바라보며 이렇게 중얼거렸다.

"이 세상에 진짜로 행복한 사람이 있다는 건 생각만으로도 기쁜 일이야!"

어느 날 자선 학교慈善學校 아이들이 우르르 몰려와 동상을 우러러보며 말했다.

"행복한 왕자님은 꼭 천사 같아요."

아이들의 말에 수학 선생님이 대뜸 물었다.

"너희들이 어떻게 아니? 천사를 본 적도 없잖아?"

"꿈속에서 본 적이 있는 걸요."

자선 학교(慈善學校) : 종교 단체나 자선 단체가 빈민층 아동을 위해 운영하는 학교.

후후! 내가 천사 같다고? 아이들 눈이 정확하다니까.
뭐라고? 너 천사를 본 적은 있는 거야?
행복한 왕자님은 천사 같아요!
꼭 눈으로 보지 않아도 알 수 있다는 걸 선생님은 모르나 봐!

아이들이 입을 모아 대답했다. 수학 선생님은 얼굴을 찡그리고는 심각한 표정을 지었다. 그 선생님은 가난한 아이들이 환상幻想을 갖는 것은 좋지 않은 일이라고 여겼다.

그러던 어느 날 밤, 작은 제비 한 마리가 이 도시로 날아왔다. 친구 제비들은 이미 6주 전에 모두 따뜻한 이집트로 떠났지만 그 제비 혼자만 뒤처졌다. 아름다운 갈대와 사랑에 빠졌기 때문이다. 제비는 어느 이른 봄날에 노랑나비를 좇아 강을 따라 날다가 허리가 날씬한 갈대를 보고 그만 홀딱 반해 버렸다. 제비는 나비를 좇는 것도 잊은 채 강가의 갈대에게 날아갔다.

"당신을 사랑해도 될까요?"

솔직한 성격의 제비는 다짜고짜 그렇게 물었다. 갈대는 부끄러운지 고개를 살짝 숙여 보였다. 제비는 갈대 주위를 빙글빙글 돌기도 하고, 물을 스치면서 날아 은빛 물보라를 일으키기도 했다. 제비가 갈대에게 보내는 사랑의

환상(幻想) : 현실적인 기초나 가능성이 없는 헛된 생각이나 공상.

표현이었다. 제비는 여름 내내 갈대 곁을 떠나지 않았다.

아침저녁으로 선선한 바람이 불어오더니 가을이 찾아왔다. 다른 친구 제비들은 모두 따뜻한 이집트로 떠났다. 친구 제비들이 모두 떠나 버리자 제비는 외롭고 쓸쓸해졌다. 그동안 사랑했던 갈대에게도 싫증이 나기 시작했다.

"갈대 아가씨는 도무지 말을 하지 않는단 말이야. 게다가 바람둥이 같아. 바람하고 시시덕거리는 걸 보면."

아닌 게 아니라 갈대는 바람이 불어올 때마다 그 날씬한 허리를 맵시 있게 숙이며 우아하게 인사하곤 했다.

"갈대 아가씨는 집에만 있는 걸 좋아하나 봐. 난 여행과 모험을 좋아하는데 말이지. 내 아내가 될 사람은 나처럼 여행을 좋아하는 아가씨라야 해."

제비는 갈대에게 날아가 물었다.

"나와 함께 먼 곳으로 떠나지 않으실래요?"

갈대는 고개를 살랑살랑 저었다.

'내게는 집보다 더 좋은 곳은 없어요.'

마치 이렇게 말하는 듯했다.

"당신은 이제껏 나를 놀린 거였군요. 난 이제 피라미드가 있는 곳으로 떠날 겁니다. 그럼 잘 있어요."

제비는 그렇게 소리치고는 날아가 버렸다.

피라미드는 돌이나
벽돌을 쌓아 만든 사각뿔
모양의 거대한 건조물을 말해.
기원전 2700년에서 기원전 2500년
사이에 이집트 등지에서 주로
왕이나 왕족의 무덤으로
만들어졌단다.

하루 종일 난 제비는 밤이 되어서야 행복한 왕자의 동상이 서 있는 도시에 도착했다.

"어디서 하룻밤을 쉬어 간담?"

제비의 눈에 높고 둥근 돌기둥 위에 서 있는 동상이 들어왔다. 제비는 행복한 왕자의 두 발 사이에 내려앉으며 중얼거렸다.

"오늘 밤은 황금으로 꾸민 침실에서 자게 됐어."

제비는 눈을 감고 잠을 청했다. 제비가 막 머리를 날갯죽지 밑으로 넣으려는 순간 커다란 물방울 하나가 머리 위로 톡 떨어졌다.

"참, 이상한 일도 다 있네! 하늘에는 구름 한 점 없고

별들도 저렇게 초롱초롱한데 비가 오다니……."

이어 또 한 방울이 톡 하고 떨어졌다.

"빗방울도 피할 수 없는 동상이 무슨 소용이람? 차라리 굴뚝이라도 찾아 나서는 게 좋겠어."

제비는 자리를 뜰 채비를 했다.

제비가 날개를 채 펴기도 전에 다시 물방울이 톡 떨어졌다. 제비는 고개를 들고 올려다보았다.

아아, 그때 제비가 본 것은 무엇이었을까?

제비는 행복한 왕자의 두 눈에 가득 고인 눈물이 달빛에 반짝이는 뺨을 타고 흘러내리는 것을 보았다. 달빛을 받은 행복한 왕자의 얼굴은 무척이나 아름다웠다. 제비는 눈물을 흘리는 왕자가 가여웠다.

"당신은 누구시죠?"

제비가 물었다.

"난 행복한 왕자란다."

"그런데 왜 우세요? 그 바람에 제 몸이 흠뻑 젖었잖아요."

제비가 다시 묻자 행복한 왕자가 대답했다.

난 행복한
왕자란다, 제비야.
행복한 왕자님께서
왜 우시는 거죠?

"내가 호화로운 궁전에서 살 때는 슬픔이 뭔지 몰랐단다. 낮에는 온갖 꽃들이 만발한 정원에서 친구들과 뛰어놀았고, 밤이면 무도회를 열어 아름다운 음악에 맞춰 춤을 추었지. 궁전에는 높은 담이 둘러져 있는데, 나는 그 담 너머에 무엇이 있는지 궁금하지 않았어. 나는 부족함이 없었고 내 주위의 것들은 어느 것이나 아름다웠기 때문이야. 신하들은 나를 '행복한 왕자'라고 불렀어. 만약 즐거움이 행복이라면, 그때 나는 틀림없이 행복했어.

나는 그렇게 행복하게 살다가 죽고 말았단다. 내가 죽자 신하들은 나를 이 높은 곳에 세워 놓았지. 내가 살았던 이 도시의 온갖 추한 것과 슬프고 끔찍한 것이 내려다보이는 이곳에 말이야. 매일같이 이곳에서 내려다보고 있으면 내 심장이 비록 납으로 되어 있지만 눈물을 흘리지 않을 수가 없구나."

"그럼 왕자의 몸은 전부 순금으로 된 게 아니었구나."

제비가 혼잣말로 중얼거렸다. 제비는 그런 말을 큰 소리로 대놓고 할 만큼 무례하지는 않았다.

"제비야, 저기 저 멀리 말이야."

행복한 왕자는 아름다운 목소리로 계속해서 말했다.

"여기서 멀리 떨어진 좁은 골목길에 가난한 집이 한 채 있단다. 열린 창문을 통해 한 여인이 앉아 있는 것이 보이는구나. 얼굴이 야윈 여인은 아주 초췌憔悴해 보여. 손은 바늘에 찔려 벌겋게 부어 있구나. 그녀는 재봉사거든. 여인은 비단옷에 시계꽃을 수놓고 있는 중인데, 그 옷은 여왕의 시녀 중에서도 가장 아름다운 시녀가 궁전에서 열리는 무도회에서 입을 옷이란다.

방 한구석에서는 여인의 어린 아들이 병에 걸려 누워 있어. 이마에서 열이 펄펄 나는 아이가 오렌지를 달라고 보채고 있구나. 아이는 계속 보채지만 아이의 어머니는 강에서 길어 온 물밖에 줄 게 없는 모양이야.

제비야, 제비야, 꼬마 제비야! 내 칼자루에 박힌 루비를 빼서 저 여인에게 가져다주지 않겠니? 난 전혀 움직일

초췌(憔悴) : 병, 근심, 고생 따위로 얼굴이나 몸이 여위고 파리함.

수가 없단다."

"제 친구들이 이집트에서 절 기다리고 있어요. 친구들은 지금쯤 나일 강 여기저기를 날아다니면서 커다란 연꽃과 이야기하고 있을 거예요."

아프리카
동북부를 흐르는
나일 강은 세계에서 가장
긴 강이야.

"제비야, 제비야, 꼬마 제비야."

왕자는 말했다.

"하룻밤만 내 곁에 머물며 내 심부름을 해 줄 수 없겠니? 저 어린 것이 목이 타서 오렌지를 먹고 싶어 하는데, 오렌지를 사 줄 수 없는 아이 엄마가 슬퍼서 어쩔 줄 모르는 모습을 나는 차마 볼 수가 없구나."

그러자 제비가 말했다.

"저는 아이들을 그다지 좋아하지 않아요. 지난여름에 제가 강가에서 머물고 있을 때였어요. 심술쟁이 두 녀석이 오더군요. 물방앗간집 아들들이었는데, 녀석들은 저만 보면 돌을 던져 댔어요. 물론 제가 그깟 돌에 맞을 리는 없죠. 우리 제비들은 아주 빠르니까요. 더욱이 저는 빠르

기로는 둘째가라면 서러운 집안 출신이거든요. 다치지는 않았지만 녀석들이 못된 짓을 한 건 사실이죠."

말은 그렇게 했지만 왕자의 표정이 너무나 슬퍼 보여서 작은 제비는 안쓰러운 마음이 들었다.

"여긴 참 춥네요. 하지만 하룻밤만 더 여기 머물면서 심부름을 해 드리겠어요."

"고맙구나, 작은 제비야."

제비는 왕자의 칼자루에 박혀 있던 커다란 루비를 뽑아 부리로 물고 지붕 위를 날아갔다.

가난한 여인의 집에 도착한 제비는 방 안을 들여다보았다. 아이는 심한 열 때문인지 뒤척이고 있었다. 지친 아이의 엄마는 엎드린 채 깜빡 잠이 들어 있었다.

열린 창문을 통해 방 안으로 휙 날아 들어간 제비는 바느질감 위에 루비를 살그머니 떨어뜨렸다. 그러고는 가만히 침대 주위를 날면서 아이의 이마에 날개로 부채질을 해 주었다.

"아유, 시원해. 열이 다 내린 것 같아."

아이는 이내 평화로운 잠 속으로 빠져들었다.

행복한 왕자에게 다시 돌아온 제비는 기쁨에 찬 목소리로 말했다.

“참 신기한 일이에요. 무척 추운 밤인데도 저는 지금 훈훈한 느낌이 들거든요.”

“그건 네가 착한 일을 했기 때문이란다.”

행복한 왕자의 말을 듣고 골똘히 생각에 잠겨 있던 작은 제비는 어느새 잠이 들어 버렸다. 제비는 늘 뭔가를 깊이 생각하면 잠이 쏟아졌다.

날이 밝자 제비는 강으로 날아가 목욕을 했다.

“오늘 밤에는 꼭 이집트로 가야지.”

제비는 잔뜩 기대에 부풀어 중얼거렸다. 거리의 모든 기념탑을 돌아본 제비는 교회의 뾰족탑 꼭대기에 오랫동안 앉아 있었다. 제비가 어디를 가든 참새들이 짹짹거리며 재잘거렸다.

“어머, 정말 잘생겼다!”

“저 꽁지 좀 봐! 정말 우아하지 않니?”

아이가 먹고
싶어 하는 오렌지를
사 주고 싶은데…….
아유, 시원하다.
열이 다 내린 것 같아.

제비는 이 말을 듣고 우쭐대며 하늘을 날아올랐다.

달이 떠오르자 제비는 행복한 왕자에게 돌아왔다.

"왕자님, 이집트에 전할 말씀은 없으신가요? 전 이제 떠날 참이거든요."

"제비야, 제비야, 작은 제비야. 하룻밤만 더 내 곁에 머물지 않겠니?"

"이집트에서 제 친구들이 절 기다리고 있다니까요. 내일이면 제 친구들은 나일 강 상류에 있는 두 번째로 큰 폭포가 있는 데까지 날아갈 거예요. 갈대숲 근처 늪에는 하마가 잠을 자고 있고, 커다란 화강암으로 만들어진 왕좌에는 멤논이 앉아 있어요. 한낮이면 황금색 사자가 물을 마시러 계곡의 물가로 내려오지요. 사자의 눈은 마치 푸른 사파이어 같고, 사자가 울부짖는 소리는 큰 폭포에서 떨어지는 물소리보다도 더 우렁차답니다."

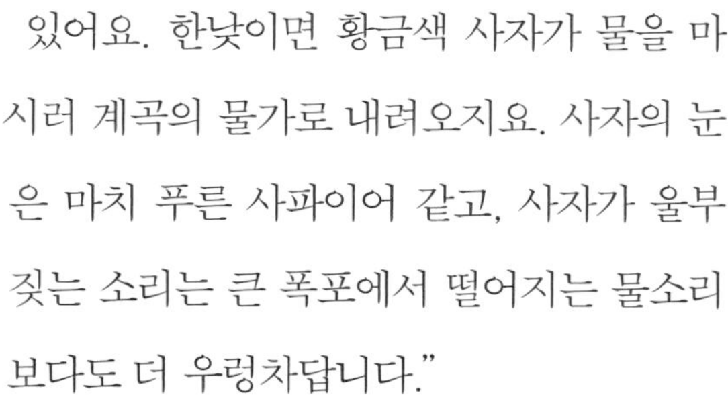

멤논은 그리스 신화에
나오는 에티오피아의 왕이야.
멤논 신화는 이집트에도 전래되어
고대 이집트의 왕 아멘호테프 3세의
묘 근처 테베에는 거대한 멤논의
석상이 세워졌단다.

"제비야, 제비야, 꼬마 제비야. 이 도시를 가로질러 저 멀리 지붕 밑에 다락방이 하나 있는데 그곳에 한 청년이 살고 있단다. 청년은 극장 감독에게 넘겨줄 연극 대본臺本을 쓰고 있어. 그런데 너무 추워서 더 이상 쓰지 못하고 있구나. 땔감이 떨어져 벽난로에서는 냉기가 감돌고, 며칠째 굶어 거의 쓰러질 지경이야."

"알았어요, 왕자님. 그럼 하룻밤만 더 머물게요."

마음씨가 고운 제비는 이렇게 말하고는 왕자를 올려다보며 물었다.

"그 사람에게도 루비를 가져다줄까요?"

"아아, 제비야! 이제 루비는 없단다."

왕자는 말했다.

"내게 남은 거라곤 이 두 눈뿐이란다. 하나를 뽑아 저 청년에게 가져다주렴. 청년은 그걸 팔아 음식과 땔감을 마련하겠지? 그럼 대본도 끝마칠 수 있을 거야."

대본(臺本) : 연극의 상연이나 영화 제작에 있어서 기본이 되는 글.

"하지만 왕자님, 어떻게 왕자님의 눈을……. 전 도저히 그럴 수 없어요."

제비가 훌쩍이기 시작했다.

"제비야, 제비야, 꼬마 제비야. 나는 괜찮으니 부디 내가 시키는 대로 해 주렴."

왕자가 말했다.

제비는 하는 수 없이 왕자의 한쪽 눈을 뽑아내어 청년의 다락방 쪽으로 날아갔다. 제비는 창문을 통해 방 안으로 날아 들어갔다.

청년은 얼굴을 파묻고 대본을 쓰느라 열중한 탓에 제비가 날아드는 소리를 듣지 못했다. 잠시 뒤 고개를 쳐든 청년은 시든 제비꽃 옆에 아름다운 사파이어가 놓여 있는 것을 보았다.

"아니, 이건 사파이어 아냐? 드디어 내가 인정받기 시작했어. 이 사파이어는 누군가 내 작품을 좋아하는 사람이 가져다 놓은 게 틀림없어. 그래, 됐어. 이제 대본을 완성할 수 있게 됐어!"

대본을 빨리
완성해야 하는데
진도가 안 나가.
행복한 왕자님이
주신 사파이어를 놓고
갈 테니 힘내세요!

청년은 기쁨에 넘쳐 외쳤다.

다음 날 아침 제비는 항구로 날아갔다. 제비는 커다란 배의 돛대 위에 앉아서 선원들이 부두에서 밧줄로 큰 궤짝들을 끌어 올리는 것을 보았다.

"영차, 영차! 어서들 끌어당겨."

선원들은 궤짝을 하나하나 끌어 올릴 때마다 소리쳤다. 제비도 큰 소리로 외쳤다.

"난 이제 이집트로 갈 거예요."

그러나 아무도 제비의 말을 귀담아듣지 않자 제비는 행복한 왕자에게 돌아왔다.

"작별作別 인사를 하러 왔어요."

왕자가 말했다.

"제비야, 제비야, 꼬마 제비야. 하룻밤만 더 내 곁에 있어 주지 않겠니?"

"왕자님, 이제 겨울이에요. 곧 눈이 내릴 거라고요. 이

작별(作別) : 인사를 나누고 헤어짐. 또는 그 인사.

집트에는 따사로운 햇볕이 푸른 야자나무를 비추고 있을 거예요. 제 친구들은 벌써 신전의 처마에 둥지를 틀었을 거라고요. 저는 떠나야만 해요. 하지만 왕자님을 잊지 못할 거예요. 내년 봄이 되면 돌아올게요. 그때 왕자님이 가난한 사람들에게 나누어 준 보석 대신 아주 아름다운 보석을 가져다 드릴게요. 빨간 장미보다도 더 빨간 루비와 푸른 바다보다도 더 푸른 사파이어를 가져오겠어요."

"고맙구나. 그런데 제비야, 저 아래 광장에 말이다."

왕자가 말했다.

"아주 어린 성냥팔이 소녀가 추위에 떨고 있단다. 오늘 성냥을 하나도 팔지 못한 그 소녀는 성냥을 진흙탕에 빠뜨리기까지 했단다. 몇 푼이나마 돈을 집에 가져가지 못하면 그 소녀의 아빠가 매질을 할 거야. 그래서 그 소녀는 지금 울고 있단다. 구두도 없고, 양말도 신지 않았어. 작은 머리에는 아무것도 쓰지 않았구나. 제비야, 남은 내 한쪽 눈도 마저 뽑아서 저 아이에게 가져다주렴. 그래야 그 애가 아빠에게 매를 맞지 않을 것 아니니?"

"그럼 하룻밤만 더 왕자님 곁에 머물게요. 하지만 전 왕자님의 남은 한쪽 눈마저 뽑을 수는 없어요. 한쪽 눈마저 뽑아 버리면 왕자님은 아무것도 볼 수 없게 되잖아요?"

"제비야, 제비야, 작은 제비야. 제발 내가 부탁한 대로 해 주렴."

제비는 하는 수 없이 왕자의 남은 한쪽 눈마저 뽑아서 쏜살같이 날아갔다. 제비는 성냥팔이 소녀 옆을 스치듯 날아가면서 소녀의 손바닥 위에 사파이어를 떨어뜨렸다.

"어머나, 무슨 유리알이 이렇게 예쁘지?"

성냥팔이 소녀는 기쁨에 넘쳐서 집으로 달려갔다.

제비는 왕자에게 돌아와 말했다.

"왕자님은 이제 아무것도 보지 못해요. 그러니 제가 언제까지나 왕자님 곁에 있겠어요."

"아니야, 작은 제비야. 이제 너는 그만 이집트로 가야 해. 겨울이 왔잖니?"

가엾게도 장님이 되어 버린 왕자가 말했다.

"아니에요, 왕자님. 저는 언제까지나 왕자님과 함께 있

소녀가 기뻐하는
모습을 보니 나도
무척 기쁜걸.
보석인가?
유리알이 정말
예쁘네.

을 거예요.”

제비는 이렇게 말하고는 왕자의 발밑에서 잠들었다.

다음 날 제비는 하루 종일 왕자의 어깨 위에 앉아서 그동안 자기가 갔었던 여러 낯선 나라에서 보고 들은 것들을 왕자에게 들려주었다.

나일 강변에 길게 줄지어 서서 부리로 황금빛 물고기를 잡아먹는 따오기의 이야기며, 사막에 살면서 세상 모든 일을 알고 있는 스핑크스에 대한 이야기 등을 해 주었다. 또 스무 명의 승려들이 벌꿀 과자를 먹이며 섬기는, 야자나무 속에서 잠을 잔다는 녹색 뱀의 이야기와 큼직한 나뭇잎을 타고 널따란 호수를 건너다니며 나비들과 전쟁을 벌이는 난쟁이 요정들의 이야기도 들려주었다.

스핑크스는 고대 이집트에서 왕의 권력을 상징하기 위해 왕궁이나 신전, 묘지 등지에 세운 석상을 말해. 사람의 머리와 사자의 모습을 하고 있지.

“작고 귀여운 제비야, 너의 이야기는 참으로 신기하고 놀랍구나. 하지만 내 마음을 끄는 것은 세상 사람들이 겪는 고통

이란다. 세상 사람들의 고통과 비참한 슬픔보다 더 놀라운 건 없단다. 그러니 꼬마 제비야, 이 도시 위를 날아다니며 네가 본 것을 내게 들려주지 않으련?"

그래서 제비는 도시 위를 이리저리 날아다니게 되었다. 제비는 호화로운 집에서 부자들이 즐겁게 지내고 있을 때, 그 문 앞에서는 거지들이 쭈그리고 앉아 굶주림과 추위에 떨며 구걸하고 있는 것을 보았다.

좁고 지저분한 골목길로 날아간 제비는 굶주린 아이들이 파리한 얼굴로 어두운 거리를 내다보고 있는 모습도 보았다. 아름다운 아치형의 다리 밑에는 어린 두 소년이 언 몸을 녹이려고 서로 꼭 끌어안고 있었다.

"아, 너무 배고프다!"

두 소년은 배를 움켜쥐며 중얼거렸다.

"너희들 여기서 잠을 자면 안 돼!"

지나가던 야경꾼이 소리치자 소년들은 찬비를 맞으며 어디론가 사라졌다.

제비는 왕자에게 돌아와서 자기가 본 것을 하나도 남김

없이 다 이야기해 주었다.

"제비야, 내 몸은 얇은 순금으로 덮여 있단다. 그것을 한 조각씩 떼어 내어 그 가난한 사람들에게 나누어 주렴. 사람들은 언제나 금이 있으면 행복해질 거라고 믿고 있으니 말이다."

제비는 왕자의 몸을 덮고 있는 금을 한 조각씩 떼어 냈다. 행복한 왕자의 모습은 이내 볼품없는 잿빛이 되고 말았다.

제비는 이렇게 떼어 낸 금 조각을 가난한 사람들에게 모두 나누어 주었다. 창백하기만 했던 아이들의 얼굴에는 발그레 생기가 돌았다. 아이들은 해맑은 웃음소리를 내며 거리로 나와 뛰어놀았다.

"이제 우리도 빵을 배불리 먹을 수 있게 됐어!"

아이들은 그렇게 큰 소리로 외쳤다.

얼마 지나지 않아 도시에 눈이 쏟아졌다. 눈이 내린 거리는 마치 은으로 만들어진 듯 반짝였다. 집집마다 기다란 고드름이 처마 끝에 매달렸다.

날은 점점 더 추워져 온 세상이 꽁꽁 얼어붙었지만 가여운 작은 제비는 왕자 곁을 떠나려 하지 않았다. 제비는 왕자를 진심眞心으로 사랑하게 되었던 것이다. 제비는 빵 가게 주인이 보지 않을 때 가게 문 밖에 떨어진 빵 부스러기를 쪼아 먹었다. 조금이나마 몸을 따뜻하게 해 보려고 날개를 파닥거리기도 했다.

하지만 제비는 자신에게 죽음이 닥쳤다는 걸 알았다. 제비에게는 이제 왕자의 어깨 위로 겨우 한 번 날아오를 수 있는 힘밖에 남아 있지 않았다. 제비는 남아 있는 힘을 다해 마지막으로 왕자의 어깨 위로 날아 올라갔다.

"사랑하는 왕자님, 이제 안녕!"

제비가 가느다란 목소리로 말했다.

"왕자님의 손에 입을 맞출 수 있게 해 주세요."

따뜻한 남쪽 나라로
가야 하는 제비가 왕자를
돕느라 가지 못해 죽게
됐어. 가여워라!

진심(眞心) : 거짓이 없는 참된 마음.

왕자는 기뻐하며 말했다.

"귀여운 제비야, 드디어 네가 이집트로 떠나려고 마음 먹었구나. 잘된 일이야. 넌 여기 너무 오래 머물러 있었어. 자, 내 입술에 입을 맞춰 다오."

"오, 왕자님! 제가 가려는 곳은 이집트가 아니랍니다. 전 '죽음의 집'으로 가려는 거예요. 죽는다는 것과 잠든다는 것은 크게 다르지 않을 거예요. 그렇죠?"

제비는 행복한 왕자의 입술에 입을 맞추고는 왕자의 발 밑에 쓰러져 죽었다. 그 순간 왕자의 몸속에서 쩍 하고 무언가 깨지는 듯한 소리가 들렸다. 납으로 만들어진 왕자의 심장이 두 쪽으로 쪼개지는 소리였다. 그날은 정말이지 끔찍스러울 정도로 추운 날이었다.

행복한 왕자와
제비의 희생이 정말
감동적이지 않니?

다음 날 아침 일찍 시장이 시 의원들과 함께 광장을 지나고 있었다. 돌로 만든 둥근 동상 받침대 가까이 걸어왔을 때 시장은 행복한 왕자의 동상을 올려다보

았다.

"아니, 이런! 행복한 왕자의 동상이 어쩌다 저렇게 흉한 꼴이 된 거지?"

"정말 흉하군요!"

시장의 말에 언제나 맞장구를 쳐 대는 시 의원들이 동시에 외쳤다. 시장은 왕자의 동상을 좀 더 자세히 살펴보려고 위로 올라갔다.

"칼자루에 박혀 있던 루비도 사라져 버렸고, 사파이어 눈알도 누군가 뽑아 가 버렸어. 몸을 덮고 있던 순금마저 모조리 벗겨지고 말았군. 이거야, 원! 거지보다 나을 게 없군."

시장이 말하자 시 의원들도 일제히 맞장구치며 말했다.

"거지보다 나을 게 없습니다."

"동상 발밑에 죽어 있는 이 새는 또 뭐야?"

시장이 계속 말을 이었다.

"앞으로는 여기서 새가 죽으면 안 된다는 포고령이라도 내려야겠어."

가여운 제비야!
미안하구나. 나 때문에 이집트에
가지도 못하고…….
이 제비는 일찌감치 남쪽
나라로 가지 않고 왜 여기서
얼어 죽은 거야?

그러자 시청의 서기는 이 말을 받아 적었다.

행복한 왕자의 동상은 사람들에 의해 끌어 내려졌다.

"행복한 왕자 동상은 이제 아름답지 않아요. 아름답지 않은 것은 쓸모가 없지요."

대학의 미술 교수가 말했다.

시장은 왕자의 동상을 용광로에 넣어 녹이라고 지시했다. 그리고 녹인 쇳덩어리로 무엇을 만들지 의논하려고 시 의원들을 모두 불러 모았다.

"새로운 동상을 다시 세우면 어떻겠소? 내 동상으로 말이오."

시장의 말에 시 의원들은 모두 자기 동상을 만들어야 한다며 나섰다.

"그건 안 될 말이오. 내 동상이라면 또 모르겠지만."

들리는 소문으로는 그들은 아직도 결론을 내지 못하고 지금껏 싸우고 있다고 한다.

"정말 이상한 일일세!"

주물 공장의 기술자가 고개를 갸웃거리며 말했다.

"이 쪼개진 납 심장은 용광로 속에서도 녹지를 않는군. 아무래도 내다 버려야겠어."

기술자는 납 심장을 죽은 제비가 버려진 쓰레기 더미 위에 내던져 버렸다.

"저 도시에 가서 가장 귀한 것 두 가지를 가져오너라."

하느님이 한 천사에게 이렇게 분부를 내렸다. 그러자 천사는 납으로 된 왕자의 심장과 죽은 제비를 하느님께 가져와 바쳤다.

하느님께서 천사에게 말씀하셨다.

"그대의 선택이 정녕 옳았노라. 이 작은 새는 내 낙원에서 언제까지나 노래를 부를 것이고, 행복한 왕자는 내 황금의 도시에서 영원토록 내 이름을 찬양하게 하리라."

행복한 왕자와
제비가 고귀한 희생으로
영원한 생명을
얻었구나!

3장

큰 바위 얼굴

어머니와 어린 아들이 키 큰 나무들로 둘러싸인 오두막 앞에 앉아 해가 지는 광경을 바라보고 있었다. 오두막에서 멀리 떨어진 산기슭에는 큰 바위 얼굴이 우뚝 솟아 있었다.

큰 바위 얼굴은 지는 해를 받아 선명하게 보였다. 높은 산이 사방을 둘러싸고 있는 이 골짜기에 사는 사람들은 모두 위엄 있는 큰 바위 얼굴에 친밀감을 느꼈다.

모든 사람이 우러르는 큰 바위 얼굴은 자연이 빚어낸 장엄한 작품이었다. 큰 바위 얼굴은 사실 깎아지른 듯 가파른 암벽에 몇 개의 커다란 바윗덩이로 이루어진 것이었다. 가까이에서 보면 그저 바윗덩이가 무질서하게 포개져 있는 것처럼 보였지만 멀리서 바라보면 신기하게도 사람의 얼굴처럼 보였다. 마치 거대한 티탄이 절벽에 자신의 얼굴을 조각해 놓은 듯했다.

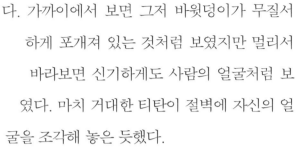

높이가 30미터나 되는 널찍한 이마와 기다란 콧날, 그리고 거대한 입은 말을 할 수 있다면 천둥소리처럼 쩌렁쩌렁 골짜기에 울려 퍼질 것만 같았다. 구름과 장엄한 안개에 둘러싸인 큰 바위 얼굴은 마치 살아 있는 것같이 느껴졌다.

마을 사람들은 아이들이 큰 바위 얼굴을 보면서 자랄 수 있다는 사실에 감사했다. 고결高潔하고 온화한 큰 바위 얼굴을 바라보기만 하는 것으로도 훌륭한 교육이 될 거라고 생각했던 것이다. 마을 사람들은 또 이 골짜기의 땅이

고결(高潔) : 성품이나 몸가짐이 속되지 아니하고 훌륭하며 순결함.

기름진 이유가 위대한 큰 바위 얼굴이 자비로운 얼굴로 내려다보고 있기 때문이라고 믿었다.

"어머니!"

어머니와 함께 오두막 앞에 앉아 큰 바위 얼굴을 바라보던 소년이 말했다. 소년의 이름은 어니스트였다.

"저 큰 바위 얼굴이 말을 할 수 있다면 얼마나 좋을까요? 저렇게 인자한 얼굴을 하고 있으니 목소리도 참 듣기 좋을 것 같아요. 만약 저런 얼굴을 가진 사람을 만난다면 저는 그 사람을 좋아하게 될 거예요."

어머니는 미소를 지으며 말했다.

"옛날부터 전해 내려오는 예언이 실제로 이루어진다면 우리는 언젠가는 큰 바위 얼굴과 똑같은 얼굴을 가진 사람을 반드시 만날 수 있을 거야."

"예언이오? 어떤 예언이죠, 어머니?"

어니스트가 눈을 동그랗게 뜨고 묻자 어머니는 어린 시절 자기 어머니에게서 들은 이야기를 들려주었다.

그것은 과거에 일어났던 이야기가 아니었다. 앞으로 일

어날 일에 대한 이야기였다. 또한 오래전부터 전해 내려오는 이야기이기도 했다. 아주아주 오랜 옛날 이 골짜기에 살던 아메리칸 인디언들 역시 그들의 조상으로부터 그 이야기를 전해 들었다고 한다.

그 이야기는 언젠가 이 골짜기에서 태어나는 아이가 세상에서 가장 위대하고 훌륭한 인물이 될 것이며, 그 아이는 어른이 되면서 점차 큰 바위 얼굴과 닮아 가리라는 것이었다. 어른 아이 할 것 없이 마을 사람 누구나 가슴에 꿈을 간직한 사람이면 이 오래된 예언을 믿으며 기다려 왔다. 하지만 아직 예언은 이루어지지 않았다.

"어머니!"

어니스트가 손뼉을 치며 외쳤다.

"이다음에 제가 커서 큰 바위 얼굴과 닮은 사람을 만나 보면 정말 좋겠어요!"

상냥하고 사려 깊은 어니스트의 어머니는 자기 아들의 소망을 깨뜨리지 않는 것이 현명한 일이라고 생각했다.

"너는 그런 사람을 꼭 만나게 될 거야."

큰 바위 얼굴과 닮은
사람을 꼭 만나고 싶어요.
언젠가는 만날 수
있을 거란다.

어니스트는 어머니가 들려준 이야기를 마음속에 간직했다. 큰 바위 얼굴을 바라볼 때마다 어머니에게 들은 이야기가 떠올랐다.

어니스트는 자기가 태어난 오두막에서 어린 시절을 보냈다. 착한 성품의 어니스트는 어머니의 말씀을 잘 따랐고, 고사리 같은 손으로 어머니의 일을 거들었다.

어니스트는 온순하고 겸손한 소년으로 자랐다. 어머니를 도와 밭에서 일을 하느라 얼굴은 햇볕에 검게 그을었지만 유명한 학교에서 교육을 받은 소년들보다도 총명함이 어려 있었다.

어니스트에게는 스승이 없었다. 큰 바위 얼굴만이 유일한 스승이었다. 어니스트는 하루의 일을 끝내고 나면 몇 시간이고 존경이 담긴 눈빛으로 그 바위를 쳐다보았다. 그러면 큰 바위 얼굴이 자기의 눈빛에 대답을 해 인자한 미소를 짓는 것만 같았다.

이 무렵 마을에 소문이 돌기 시작했다. 옛날부터 전해 내려오던 그 이야기처럼 큰 바위 얼굴을 닮은 위대한 인물이 마침내 나타났다는 것이다.

여러 해 전 이 마을을 떠난 젊은이가 있었다. 멀리 떨어진 어느 항구에 정착한 그는 돈을 꽤 모아 큰 상인으로 성공했다. 그의 재산을 헤아리려면 오랜 시일이 걸릴 정도로 큰 부자가 되었다는 것이다. 그의 이름은 '개더골드'라고 했다. 큰 부자가 된 그는 고향에 돌아가 남은 생애를 보내기로 마음먹었다. 그는 먼저 솜씨 좋은 목수를 고향으로 보냈다. 백만장자로 성공한 자기에게 걸맞은 궁궐 같은 집을 짓게 하기 위해서였다.

마을에서는 개더골드야말로 오래 기다려 왔던 예언 속의 인물이라는 소문이 끊이지 않았다. 게다가 그의 얼굴이 완벽할 정도로 큰 바위 얼굴과 닮았다는 소문도 따라붙었다. 그의 아버지가 살던 초라한 농가 터에 으리으리한 건물이 세워지는 것을 보고 사람들은 그 소문이 거짓 없는 사실이라고 믿었다.

어니스트 역시 오랫동안 기다려 왔던 예언 속의 인물을

드디어 만날 수 있다는 생각에 무척 설레었다. 아직 어린 어니스트는 막대한 재산을 가진 개더골드가 마을에 오면 큰 바위 얼굴의 미소와 같이 너그럽고 자비로운 마음으로 가난한 사람들에게 자선을 베풀 것이라고 생각했다.

"야, 드디어 온다!"

개더골드가 도착하는 것을 보려고 모여 있던 마을 사람들이 외쳤다.

"위대한 개더골드 씨가 오셨다!"

길모퉁이를 돈 마차가 속도를 내어 달려왔다. 마차 창밖으로 노인이 얼굴을 조금 내밀었다. 누런 피부에 눈은 작고 매서웠다. 좁은 이마와 눈가에는 주름살이 뒤덮여 있었다.

"큰 바위 얼굴과 똑같다!"

사람들이 소리쳤다.

"예언대로 마침내 위대한 인물이 나타났다!"

내가 큰 바위
얼굴과 닮았다고 사람들이
소리치고 있어.
큰 바위 얼굴과
정말 똑같아!
위대한 인물은 어디가
달라도 다르네요.
큰 바위 얼굴과 하나도
닮지 않았는걸.

어니스트는 어리둥절했다. 사람들이 개더골드를 보고 큰 바위 얼굴과 똑같다고 말하는 것을 도무지 이해할 수 없었다. 사람들 속에는 마침 먼 지방에서 흘러 들어온 거지가 있었다. 이 불쌍한 거지는 마차가 지나갈 때 슬픈 목소리로 구걸을 했다.

"나리, 한 푼 줍쇼!"

그러자 누런 손이 마차 창문 밖으로 쑥 나오더니 동전 몇 닢을 휙 내던졌다. 그럼에도 사람들은 여전히 굳은 신념을 가지고 큰 바위 얼굴과 똑같다고 소리쳤다.

낙심한 어니스트는 약삭빠르고 탐욕으로 가득한 그 얼굴에서 눈길을 거두고는 산기슭을 바라보았다. 거기에는 맑고 빛나는 큰 바위 얼굴이 석양을 받아 빛나고 있었다. 그 모습을 보자 어니스트의 마음은 한없이 즐거웠다. 인자한 입술은 그에게 뭔가를 말하는 것 같았다.

"그는 올 것이다. 걱정하지 말아라. 그 사람은 반드시 올 것이다!"

다시 세월이 흘렀다. 어니스트도 이제 청년이 되었다.

그가 마을 사람의 관심을 끄는 일은 없었다. 어니스트의 하루하루는 그 골짜기 근처에 사는 다른 사람들과 특별히 다른 점이 없었던 것이다.

그가 남과 다른 점이 하나 있기는 했다. 아직도 하루 일을 마치고 나면 혼자서 큰 바위 얼굴을 바라보며 명상에 잠기는 것이었다. 다른 사람들이 보기에 그것은 참으로 어리석은 일이었다. 그러나 어니스트는 부지런하고 친절했다. 또 성격이 좋은데다 자기 일을 게을리 하는 법이 없어 그를 비난하는 사람은 아무도 없었다.

사람들은 큰 바위 얼굴이 어니스트에게는 스승이나 마찬가지라는 사실을 알지 못했다. 큰 바위 얼굴의 자비로움과 위엄이 이 젊은이의 마음속에 숭고한 정신과 따뜻한 인정미를 심어 준다는 사실을 몰랐던 것이다. 또한 큰 바위 얼굴이 어니스트에게 책에서 배우는 것보다 더 많은 지혜를 가르쳐 준다는 사실도 알지 못했다.

그러는 사이 개더골드는 죽어 땅에 묻혔다. 이상한 것은 그 많던 재산이 그의 생전에 모두 사라져 버렸다는 것이다. 그의 재산이 사라지자 마을 사람들은 망해 버린 상인의 비열한 얼굴과 산기슭의 숭고한 얼굴은 전혀 닮지 않았다는 사실을 누구나 인정했다. 개더골드가 살아 있을 때에도 사람들은 더 이상 그를 존경하지 않았으며, 그가 죽은 뒤에는 얼마 지나지 않아 그를 완전히 잊어버렸다. 큰 바위 얼굴과 닮은 위대한 사람이 이 골짜기에 나타날 것이라는 예언은 아직 이루어지지 않은 것이었다.

이 골짜기에서 태어난 인물로 유명한 장군이 한 사람 있었다. 그는 수많은 전쟁터에서 혁혁한 공을 세워 유명한 장군이 되었다. 진짜 이름이 무엇인지 알려지지 않았지만 군대에서 불리는 그의 이름은 '올드 블러드 앤드 선더'였다.

'올드 블러드 앤드 선더'는 폭력과 피를 불러오는 사람이라는 뜻이야.

올드 블러드 앤드 선더 장군도 나이가 들어 이제 그만 고향에 돌아가 편히 쉬고 싶다는 뜻을 밝혔다.

이 소문을 들은 마을 사람들은 큰 잔

치를 열어 그를 환영하기로 결정했다. 마을 사람들은 지난 몇 년 동안 거들떠보지 않던 큰 바위 얼굴을 다시 바라보았다. 이 장엄한 얼굴과 똑같이 생긴 사람이 정말 나타났다고 열렬하게 믿으면서 말이다.

드디어 성대한 환영 잔치가 열리던 날 마을 사람들은 위대한 올드 블러드 앤드 선더 장군을 환영하기 위해 하던 일을 멈추고 몰려들었다.

어니스트도 잔치가 열리는 곳으로 갔다. 어니스트는 멀리서나마 이 위대한 인물의 얼굴을 보고 싶어 발돋움을 해야 했다. 그러나 장군의 주위는 수많은 사람들로 북적거리고 있었다. 축사와 연설, 장군의 입에서 흘러나올 인사말을 한마디도 빠뜨리지 않고 들으려는 듯 사람들은 장군 주위에 몰려들었다. 호위병으로 따라온 군인들은 총검으로 사람들을 무지막지하게 밀어냈다.

원래 성품이 부드러운 어니스트는 그 바람에 뒤로 밀려 장군의 얼굴을 볼 수 없었다. 어니스트는 큰 바위 얼굴 쪽으로 고개를 돌렸다. 그 얼굴은 전과 마찬가지로 믿음직스럽고 다정한 친구처럼 그에게 미소를 보내고 있었다.

이때 장군의 얼굴과 멀리 바라보이는 산기슭의 큰 바위 얼굴을 비교하는 사람들의 말소리가 들려왔다.

"완전히 도장을 찍어 놓은 것 같지 않나? 신기할 정도로 똑같아."

한 사람이 기쁨에 겨운 목소리로 소리쳤다.

"맞아, 영락없어! 바로 그 얼굴이야!"

옆에 있던 다른 사람도 맞장구쳤다.

"똑같고말고! 장군이야말로 고금古今을 통해 가장 위대한 인물이란 말일세."

누군가 이렇게 외쳤다.

그 외침에 자극을 받은 사람들이 목소리를 드높이며 고함을 질렀다. 그 소리는 골짜기에 메아리치며 울려 퍼졌다. 마치 큰 바위 얼굴이 천둥 같은 소리로 외치는 듯했다.

"장군이다! 장군이 나오셨다!"

고금(古今) : 예전과 지금을 아울러 이르는 말.

사람들의 고함 소리가 들려왔다.

"쉿, 조용히 해! 이제 장군께서 연설을 하신단 말이야!"

장군은 연설을 하기 위해 자리에서 일어났다. 어니스트는 비로소 그를 볼 수 있었다. 그의 뒤로 우뚝 솟은 큰 바위 얼굴도 보였다.

장군과 큰 바위 얼굴 사이에 정말 닮은 구석이 있었을까? 어니스트는 그런 것을 찾아낼 수 없었다. 어니스트는 수많은 전투를 치르느라 풍상風霜에 찌든 그 얼굴을 유심히 바라보았다. 장군의 얼굴에는 정열이 넘쳐흘렀고, 강철 같은 의지와 노련미가 엿보였다.

그러나 지혜와 자비로움은 찾을 수 없었다. 큰 바위 얼굴은 준엄한 표정이었지만 온화한 빛이 어려 있어서 부드러운 기운을 띠었다.

"예언 속의 그 인물이 아니다."

풍상(風霜) : 바람과 서리를 아울러 이르는 말. 또는 많이 겪은 세상의 어려움과 고생을 비유적으로 이르는 말.

저는 그동안 죽음을 무릅쓰고 많은 전투에 참가해 큰 공을 세웠으며…….
예언 속의 그 인물이 아니야!

어니스트는 사람들 사이를 빠져나가며 혼잣말로 중얼거렸다.

"아직도 더 기다려야 한다는 말인가?"

저녁 안개가 산기슭에 피어오르고 있었다. 거기에는 위엄 있는 큰 바위 얼굴이 황금빛 노을을 받아 장엄하게 빛나고 있었다. 늘 그랬던 것처럼 신비한 큰 바위 얼굴은 어니스트가 헛된 꿈을 꾸고 있는 게 아니라며 희망을 주는 듯했다.

"걱정하지 마라, 어니스트! 그는 꼭 올 것이다!"

다시 평온한 세월이 흘렀다. 어니스트는 아직도 자기가 태어난 그 골짜기에 살고 있었다. 그도 이제는 중년의 나이였다. 그리고 별로 대단치는 않지만 그의 존재가 차츰 사람들 사이에 알려지게 되었다.

물론 그는 지금도 생계를 위해 일을 하는, 과거 그대로 순박한 마음을 지닌 그런 사람이었다. 그러나 그는 그동안 많은 것을 생각하고 또 느껴 왔다. 생애의 가장 좋은 시절 대부분을 인류를 위해 뭔가 훌륭한 일을 해 보겠다는 거룩한 소망을 품은 채 살아왔던 것이다.

그의 맑고 높고 순박한 사상思想은 어질고 너그러운 행실로 나타나기도 했고, 그의 말에서도 흘러나왔다. 진리가 담긴 그의 말은 듣는 사람에게 큰 감명을 주었다. 어니스트의 어질고 너그러운 행실과 진리를 토해 내는 말에 감명을 받은 마을 사람들은 자기의 삶을 반성하며 보다 나은 삶을 살기 위해 노력했다.

하지만 마을 사람들은 이웃이며 친근한 벗인 어니스트가 범상치 않은 사람이라고는 전혀 생각하지 않았다. 어니스트 역시 꿈에도 그런 생각을 해 본 적이 없었다. 그러나 그의 입에서는 아직까지 그 누구도 말하지 않은 깊은 사상이 마치 시냇물의 속삭임처럼 한결같이 술술 흘러나왔다.

세월이 흘러 냉정을 되찾은 사람들은 올드 블러드 앤드 선더 장군의 험상궂은 인상과 산기슭의 자비로운 얼굴과

사상(思想) : 어떠한 사물에 대하여 가지고 있는 구체적인 사고나 생각.

는 비슷한 점이 없다는 것을 깨달았다.

얼마 뒤 또다시 큰 바위 얼굴과 똑같은 얼굴이 나타났다는 소식이 들려왔다. 이번에는 저명한 정치가였다. 신문에까지도 그러한 사실을 확인하는 기사가 실렸다.

이 정치가 역시 개더골드나 올드 블러드 앤드 선더와 마찬가지로 이 골짜기에서 태어났다. 또한 일찍이 이 고장을 떠나 법률과 정치에 종사해 왔다. 부자의 재산과 군인의 칼 대신 그는 오직 한 개의 혀를 가졌을 뿐이었다. 그러나 이 혀는 앞의 두 가지를 합친 것보다 더 강력했다.

이번에 나타난
정치가는 예언 속의
인물이 맞을까?

그는 웅변을 잘하는 것으로 유명했다. 그가 무엇을 말하든지 간에 청중은 그의 말을 믿지 않을 수 없었다. 그의 말을 들으면 틀린 것도 옳다고 여기고, 정당한 것도 잘못되었다고 여겼다.

그의 웅변은 때로는 천둥과도 같이 사람의 마음을 울렸으며, 때로는 음악처럼 한없이 달콤했다. 그는 정말 놀라운 사람이었다. 그는 자신의 말재주를 이용해 상상할 수

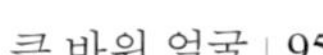

있는 모든 성공을 거두었다. 그의 목소리가 전국 방방곡곡에 울려 퍼졌고, 온 나라에 그의 명성을 떨쳤다. 마침내 그의 혀는 국민들로 하여금 자신을 대통령으로 뽑도록 설득시키는 데까지 이르렀다.

그의 이름이 세상에 알려지기 시작했을 때, 그를 따르는 사람들은 그와 큰 바위 얼굴 사이에 비슷한 점이 있다는 사실을 찾아냈다. 이런 사실이 알려지면서 이 정치가는 '올드 스토니 피즈'라는 이름으로 전국에 알려졌다. 그의 동료들이 그를 대통령의 자리에 앉히기 위해 온갖 노력을 다하고 있을 때, 그는 자기가 태어난 이 골짜기를 방문하려고 나섰다.

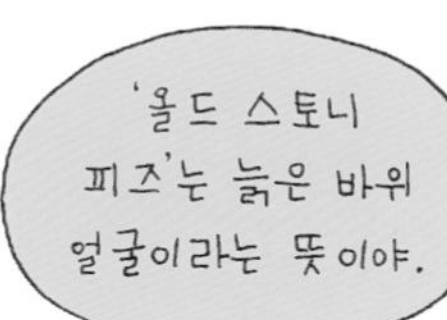

'올드 스토니 피즈'는 늙은 바위 얼굴이라는 뜻이야.

마을에서는 이 훌륭한 정치가를 맞이하기 위해 주 경계선까지 기마행렬이 마중을 나갔다. 사람들은 한 사람도 빠짐없이 일을 쉬고 그가 지나가는 것을 보려고 길가로 모여들었다. 어니스트도 그 사람들 가운데 있었다.

말굽 소리도 요란하게 기마행렬이 달려왔다. 먼지가 뽀얗게 일어 어니스트는 올드 스토니 피즈의 얼굴을 볼 수 없었다. 기마행렬 위로 펄럭이는 깃발은 그야말로 장관이었다. 어떤 깃발에는 올드 스토니 피즈의 얼굴과 큰 바위 얼굴이 형제처럼 웃고 있는 그림이 그려져 있었다. 두 인물은 놀랍도록 닮아 있었다.

사람들은 모자를 벗어 위로 던지며 소리를 질러 댔다. 그 뜨거운 열기가 사람들의 마음에서 마음으로 전해졌다. 어니스트도 가슴에 뜨거운 것이 솟구쳤다. 그도 모자를 위로 던지며 큰 소리로 외쳤다.

"영웅 만세! 올드 스토니 피즈 만세!"

어니스트는 아직 그 사람을 보지는 못했다.

"위대한 영웅이 왔다!"

어니스트 가까이 서 있던 사람들이 외쳤다.

"저기, 저기 좀 보라고! 올드 스토니 피즈 말이야. 저 산 위의 노인과 비교해 봐. 마치 쌍둥이 같지 않아?"

화려한 행렬 한가운데로 네 마리 흰 말이 끄는 뚜껑 없는 사륜마차가 달려왔다. 그 마차에는 유명한 정치가 올드 스토니 피즈가 모자를 벗어 들고 앉아 있었다.

"어때, 정말 대단하지?"

어니스트의 옆에 서 있던 사람이 말했다.

"큰 바위 얼굴이 이제야 비로소 자기 짝을 만났군."

마차에서 고개를 끄덕거리며 미소를 띠고 있는 올드 스토니 피즈의 모습을 처음 보았을 때, 어니스트도 산기슭의 큰 바위 얼굴과 무척 닮았다고 생각했다. 훤하게 벗어진 이마나 그 밖의 얼굴 생김생김이 참으로 당당하고 힘차 보였다.

그러나 그의 얼굴에는 장엄함이나 위풍威風, 신과 같은 위대한 사랑이 어려 있지 않았다. 놀랄 만한 품성을 타고난 이 정치가의 눈자위에는 지치고 우울한 빛이 서려 있는 것처럼 보였다.

옆 사람이 어니스트를 팔꿈치로 쿡쿡 찌르며 말했다.

위풍(威風) : 위세가 있고 엄숙하여 쉽게 범하기 힘든 풍채나 기세.

"어때, 어떤 것 같아? 이 사람이야말로 저 산기슭의 노인과 똑같지 않냐고?"

"아니야!"

어니스트는 무뚝뚝하게 대답했다.

"조금도 닮지 않았어."

낙심한 어니스트는 우울한 표정으로 그 자리를 떠났다. 예언을 실현시킬 수도 있었던 사람이 그렇게 할 마음이 없는 것 같아 보여 슬펐다.

세월은 덧없이 흘러 이제 어니스트의 머리에도 하얀 서리가 내렸다. 어니스트 역시 노인이 되었다. 그러나 그냥 헛되이 나이만 먹은 것은 아니었다. 그의 머릿속에는 무성한 백발보다도 풍성한 지혜로운 생각이 가득 차 있었다. 이마와 뺨의 주름살 역시 그동안 인생의 항로를 여행하며 겪은 시련을 통해 얻은 지혜가 깃들어 있었다.

큰 바위 얼굴을 스승으로 삼아 지혜를 깨우치며 성실한 삶을 살아왔으니 지혜가 깃들만도 하지.

어니스트의 이름은 어느새 유명해져 있었다. 대학 교수들을 비롯해 많은 사람들이 어니스트와 이야기를 나누고자 골짜기를 찾아왔다.

그 무렵 새로운 시인 한 사람이 세상에 나타났다. 그 역시 이 골짜기에서 태어난 사람이었다. 일찌감치 고향을 떠난 그는 번잡한 도시에서 살면서도 꿈같이 아름다운 음률을 쏟아 놓고 있었다. 그가 산에 대해 노래하면 사람들은 직접 그 산을 바라보는 것보다 더 생생하게 웅대한 산봉우리를 느낄 수 있었다. 또 그가 아름다운 호수를 노래하면, 하늘이 그 호수에 미소를 던져 영원한 빛이 호수에서 반짝이는 것 같았다.

어니스트도 그 시인의 시를 구해서 읽었다. 그는 하루의 노동이 끝난 뒤 자기 집 문 앞에 놓인 긴 의자에 앉아 그 시들을 읽었다. 그 자리는 오랫동안 그가 큰 바위 얼굴을 바라보며 명상에 잠겼던 바로 그곳이었다. 어니스트는 영혼을 뒤흔드는 듯한 시를 읽으며 눈을 들어 자비로운 미소를 보내는 큰 바위 얼굴을 바라보았다.

오, 장엄한 벗이여!
이 시인이 예언 속의
인물이 맞습니까?

"오, 장엄한 벗이여! 이 시인이야말로 당신을 닮은 사람이라 할 수 있지 않겠습니까?"

어니스트가 큰 바위 얼굴에게 떨리는 목소리로 물었지만 그 얼굴은 자비로움으로 가득한 미소를 지을 뿐 아무 대답이 없었다.

시인 역시 멀리 떨어져 있었음에도 어니스트의 명성을 듣고 있었다. 시인은 가르침을 받지 않은 지혜가 소박한 삶과 잘 조화調和를 이루고 있다는 어니스트를 무척 만나고 싶어 했다.

어느 여름 아침 시인은 기차를 탔다. 며칠 후 시인은 어니스트의 집에서 그리 멀지 않은 역에서 내렸다. 호텔이 가까이 있었지만 그는 어니스트의 집을 찾아가서 하룻밤 묵게 해 달라고 청할 생각이었다.

어니스트의 집 문 앞에 가까이 가자 점잖은 노인이 책을 읽고 있었다. 노인은 책갈피에 손가락을 끼운 채 큰 바

조화(調和) : 서로 잘 어울림.

위 얼굴을 쳐다보고 또 책을 들여다보고 하는 것이었다.

시인은 그 노인에게 말을 걸었다.

"안녕하십니까? 지나가는 나그네올시다. 죄송하지만 댁에서 하룻밤 묵을 수 있겠습니까?"

"네, 그렇게 하시지요."

어니스트는 이렇게 말한 다음 미소를 지으며 덧붙여 말했다.

"저 큰 바위 얼굴이 저토록 다정한 얼굴로 손님을 맞이하는 것을 본 적이 없군요."

시인은 어니스트 옆에 앉아 이야기를 나누었다. 시인은 재치 있고 지혜로운 사람들과 이야기를 나눠 본 경험이 많았다. 그러나 어니스트처럼 자신의 사상과 감정을 거침없이 표현하고, 소박한 말솜씨로 위대한 진리를 알아듣기 쉽게 말하는 사람은 본 적이 없었다.

어니스트는
이 시인이 예언 속의
인물이 아닌 것을 알고는
실망을 한단다.

시인의 이야기에 귀를 기울이던 어니스

트는 큰 바위 얼굴도 몸을 앞으로 내밀고 이야기에 귀를 기울이는 것 같았다. 그는 진지하게 시인의 빛나는 눈을 바라보았다.

"손님께서는 비범非凡한 재주를 가지셨군요. 도대체 뉘신지 말씀해 주십시오."

어니스트가 물었다. 시인은 어니스트가 읽고 있던 책을 가리켰다.

"이 책을 읽으셨지요? 그러면 저를 아실 것입니다. 제가 바로 이 책을 쓴 사람입니다."

어니스트는 다시 한 번 진지한 표정으로 시인의 모습을 살폈다. 그러고 나서 큰 바위 얼굴을 쳐다봤다. 그러더니 이상하다는 표정으로 다시 한 번 손님을 바라보았다. 그런 어니스트의 얼굴에 실망하는 빛이 떠올랐다. 어니스트는 머리를 흔들며 한숨을 내쉬었다.

"왜 그렇게 슬퍼하십니까?"

비범(非凡) : 보통 수준보다 훨씬 뛰어남.

시인이 물었다.

"저는 평생 동안 예언이 이루어지기를 기다리고 있었습니다. 그리고 이 시를 읽으면서 이 시를 쓴 분이야말로 그 예언을 이루어 줄 분이 아닐까 생각했습니다."

어니스트가 대답했다.

시인은 미소를 띠면서 말했다.

"당신께서는 제가 저 큰 바위 얼굴과 닮았기를 기대하신 것이지요? 그런데 가만히 살펴보니 개더골드나 올드 블러드 앤드 선더나 올드 스토니 피즈와 마찬가지로 제게도 실망을 하셨단 말씀이지요? 그렇습니다. 저는 그 정도밖에 안 되는 인간입니다. 정말 부끄럽고 슬픈 이야기지만, 저는 저기 저 인자하고 장엄한 얼굴에 비교할 만한 가치도 없는 인간이란 말입니다."

"왜 그렇습니까? 이 책에 담긴 생각이 신성神聖하지 않다는 말씀입니까?"

신성(神聖) : 함부로 가까이 할 수 없을 만큼 고결하고 거룩함.

어니스트는 책을 가리키며 물었다.

"제가 쓴 시에는 신의 뜻을 전하는 내용도 있습니다. 하늘나라에서 울려 퍼지는 노래의 메아리 정도는 될지도 모르겠습니다. 하지만 친애하는 어니스트 씨, 제 삶은 저의 사상과 일치되지 못하였습니다. 제 시는 꿈을 노래하고 인생의 숭고함과 진리에 대해 노래했지만 제 꿈은 꿈으로 그쳤고, 제 삶은 신념을 잃은 지 이미 오래되었습니다. 그러니 순수한 선善과 진리를 찾는 당신이 어찌 나에게서 저 큰 바위 얼굴의 모습을 찾을 수 있겠습니까?"

시인의 목소리는 슬픔으로 떨리고 있었다. 그의 두 눈에는 눈물이 어려 있었다. 어니스트의 눈에도 눈물이 고였다.

해가 뉘엿뉘엿 질 무렵 어니스트는 자리에서 일어났다. 어니스트는 오래전부터 마을 사람들에게 자기의 생각을 들려주는 자리를 갖고 있었다. 오늘도 야외에서 마을 사

선(善) : 올바르고 착하여 도덕적 기준에 맞음.

람들이 그를 기다리고 있었다.

어니스트와 시인은 팔짱을 끼고 이야기를 주고받으며 마을 사람들이 기다리고 있는 곳으로 갔다. 그곳은 나지막한 산에 둘러싸인 작은 공터였다. 뒤에는 잿빛 절벽이 솟아 있고, 그 앞으로 무성한 담쟁이덩굴이 울퉁불퉁한 바위를 비단 휘장처럼 뒤덮고 있었다.

그 공터의 약간 높은 곳에 푸른 나뭇잎으로 둘러싸인 아늑한 장소가 있었다. 한 사람이 진심에서 우러나오는 몸짓으로 이야기할 만한 정도의 공간이었다. 어니스트는 자연스럽게 만들어진 이 연단에 올라가 따뜻하고 다정한 웃음을 띠며 사람들을 둘러보았다.

설 사람은 서고, 앉을 사람은 앉고, 기댈 사람은 기대어 저마다 편한 자세로 그렇게 모여 있었다. 서산으로 넘어가는 해가 그들의 모습을 비추고 있었다. 큰 바위 얼굴이 언제나 변함없는 유쾌하고 장엄하면서도 인자한 모습으로 내려다보고 있었다.

어니스트는 자기 마음속에 있는 생각을 이야기하기 시

작했다. 그의 말은 자신의 사상과 일치되어 있었으므로 힘이 있었다. 그리고 그의 사상은 일상생활과 조화를 이루고 있어 현실성과 깊이가 있었다. 이 설교자가 하는 말은 단순한 음성이 아니라 생명의 말들이었다. 말 속에 선하게 살아온 어니스트의 삶과 성스러운 사랑이 녹아 있었기 때문이다.

시인은 그의 이야기에 귀를 기울이면서 어니스트라는 인간과 그의 인품이 자기가 쓴 그 어느 시보다 더 고상하고 숭고하다고 느꼈다. 그는 눈물 어린 눈으로 숭고한 사람을 존경의 눈길로 우러러보았다. 풍성한 백발이 저녁 바람에 흩날리고 있었다. 온화하고 다정하고 사려 깊은 그 얼굴이야말로 예언자나 성자聖者다운 모습이라고 시인은 생각했다.

저 멀리 서쪽으로 큰 바위 얼굴이 뚜렷하게 드러났다. 그 주위를 둘러싼 흰 구름은 마치 어니스트의 이마를 덮

성자(聖者) : 지혜와 덕이 매우 뛰어나 길이 우러러 본받을 만한 사람.

고 있는 백발처럼 보였다. 그 장엄하고 자비로운 모습은 온 세상을 감싸 안을 듯했다.

그 순간, 어니스트의 얼굴은 그가 말하고 있는 사상과 일치되어 자비심으로 가득한 장엄한 표정이 되었다. 시인은 더 이상 자신의 감정을 억누를 수 없어 팔을 높이 쳐들고 외쳤다.

"보시오! 보시오! 어니스트 씨야말로 저 큰 바위 얼굴과 똑같지 않습니까?"

어니스트에게서
큰 바위 얼굴의 모습을
찾은 시인 역시 지혜로운
사람 같아!

사람들은 모두 어니스트와 큰 바위 얼굴을 번갈아 쳐다보았다. 이어 통찰력 깊은 시인의 말이 사실이라는 것을 모두 알아챘다. 예언은 실현되었다.

그러나 말을 마친 어니스트는 시인의 팔을 잡고 천천히 집으로 돌아갔다. 그리고 자기보다 더 자비롭고 지혜로운 사람이 큰 바위 얼굴과 꼭 닮은 모습으로 빨리 나타나기를 마음속으로 기원했다.

나는 인류를 위해 뭔가
보람된 일을 해 보겠다는 거룩한
소망을 품은 채 살아왔습니다.
나의 오랜 친구인
어니스트가 예언 속의
인물이었어.
오, 정말 똑같아!
큰 바위 얼굴과 정말
꼭 닮았어!

우리 주위에 큰 바위 얼굴과 닮은 사람이 있다는 걸 몰랐다니…….
여러분, 보시오! 어니스트 씨야말로 큰 바위 얼굴과 똑같습니다.

4장

귀여운 여인

퇴직한 팔등관 프레미얀니코프의 딸 올렌카는 안뜰로 내려가는 계단에 앉아 골똘히 생각에 잠겨 있었다. 푹푹 찌는 무더운 날에 파리까지 성가시게 달라붙었다. 습기를 잔뜩 머금은 검은 비구름이 동녘 하늘에서 몰려왔다.

별채에 세 들어 사는 쿠우킨이 안뜰에 서서 하늘을 쳐다보고 있었다. 쿠우킨은 치볼리 야외극장 경영자였다.

"빌어먹을!"

쿠우킨은 절망적인 목소리로 투덜거렸다.

"또 비야! 매일같이 비, 비! 지겹게도 쏟아지는군. 꼭 심통을 부리는 것 같다니까! 차라리 날더러 목이라도 매고 죽으라고 하지 그래? 파산이야! 날마다 손해가 이만저만이 아니니 어디 살겠어?"

올렌카를 향해 돌아선 쿠우킨이 두 손을 쳐들어 보이며 불평을 털어놓았다.

"우리네 삶이란 늘 요 모양 요 꼴이죠. 울어도 시원찮을 지경이에요. 낮이나 밤이나 기를 쓰고 일해 봐야 나아지는 게 없으니 말입니다. 밤잠을 설쳐 가며 궁리를 해 보지만 뾰족한 수가 있어야 말이지요. 일류 가수들을 데려와 고상한 오페레타나 무언극無言劇을 무대에 올리면 무식한 관중들은 시시껄렁한 광대를 원합니다. 저속하기가 짝이 없어요. 게다가 줄곧 비가 내리니 이런 기막힌 일이 또 어디 있느냔 말입니다. 궂은 날씨에 구경꾼은 얼씬도 하지 않는데 꼬박꼬박 임대료는 물어야 하고 가수들 출연료도 줘야 합니다."

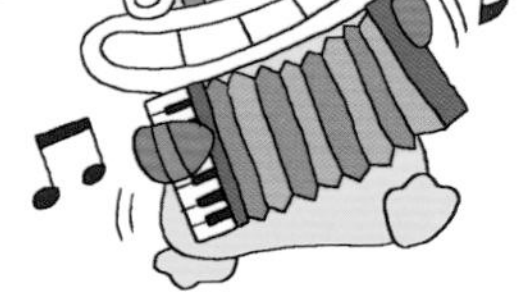
오페레타는 가벼운
희극에 통속적인 노래나
춤을 곁들인 오락성이 짙은
음악극을 말해.

무언극(無言劇) : 대사 없이 표정과 몸짓만으로 내용을 전달하는 연극.

그 다음 날에도 저녁때가 되자 또 비구름이 몰려왔다. 쿠우킨은 신경질적으로 웃으며 소리쳤다.

"좋아, 퍼부을 테면 맘대로 퍼부으라고! 이 세상에서뿐만 아니라 저승에서까지도 나를 못살게 만들겠다는 거로군. 배우들이 나를 고소해도 좋아! 시베리아로 유형을 보내도 눈 하나 깜짝하지 않을 거야. 교수대에 올라서라고 해도 겁날 것 없다고! 하하하!"

그 다음 날도 마찬가지였다.

올렌카는 아무 말도 하지 않고 쿠우킨의 넋두리에 귀를 기울였다. 때로는 눈물을 글썽일 때도 있었다. 그러다 쿠우킨의 불행이 올렌카의 마음을 흔들어 놓고야 말았다. 쿠우킨을 사랑하게 된 것이다.

누르스름한 얼굴빛의 쿠우킨은 작은 키에 깡마른 사내였다. 말을 할 때면 입을 씰룩거렸고, 얼굴에는 언제나 절망의 빛이 어려 있었다.

올렌카는 누군가를 사랑하지 않고는 못 배기는 성미였다. 어릴 적에는 아버지를 무척 따랐다. 그 아버지는 지금

병에 걸려 어두컴컴한 방 안에서 안락의자에 앉은 채 괴로운 듯이 숨을 몰아쉬고 있었다. 올렌카는 숙모도 사랑한 적이 있다. 브랸스크에 사는 숙모는 2년에 한 번쯤 생각난 듯이 다녀가는 사람이었다. 그보다 훨씬 전 여학교 학생이었을 시절에는 프랑스 어를 가르치는 남자 선생을 사랑한 적도 있었다.

눈빛이 부드러운 올렌카는 조용하고, 마음씨 착하고, 동정심이 많았다. 무척 건강한 그녀의 토실토실한 장밋빛 뺨과 검은 점이 하나 있는 매끈한 흰 목덜미, 상냥하고 순진한 미소는 남자들의 눈길을 끌 만했다. 여자들도 그런 그녀를 보며 한마디씩 했다.

"정말 귀여운 분이로군요!"

올렌카는 새벽녘까지 잠을 자지 않고 쿠우킨을 기다렸다. 쿠우킨이 돌아와 창문을 두드리면 커튼 사이로 얼굴을 내밀며 상냥한 미소를 지어 보였다.

얼마 뒤 올렌카는 쿠우킨의 청혼을 받아들여 결혼을 하기로 했다. 그녀의 흰 목덜미와 토실토실 살이 오른 건강

올렌카, 날 기다리고
있었군요? 잘 자요!
아, 쿠우킨 씨!
당신도 잘 자요!

해 보이는 어깨를 찬찬히 바라보던 쿠우킨은 중얼거렸다.

"당신은 정말 귀여운 여인이로군!"

결혼한 뒤 올렌카는 행복하게 살았다. 그녀는 남편을 도와 입장권을 팔거나 장부를 정리하고, 배우들의 급료를 지불하는 일을 했다. 그녀의 장밋빛 뺨과 귀엽고 천진난만한 미소는 매표구에, 또는 분장실에, 또는 식당에 쉴 새 없이 나타났다가 사라지곤 했다.

그녀는 아는 사람들을 붙들고 이 세상에서 가장 훌륭하고, 가장 소중하고, 또한 필요한 것은 연극이라고 입에 침이 마르도록 말했다. 인생을 즐기고 싶다면, 그리고 교양 있는 사람이 되고 싶으면 연극을 봐야 한다고 열을 올리며 말했다.

"하지만 관객이 기대하는 건 고작 유랑 극단의 신파극이지요. 어제 우리가 개작改作한 〈파우스트〉를 무대에 올렸는데 객석이 텅텅 비었다니까요. 저속한 신파극을 올렸더

개작(改作) : 작품이나 원고 따위를 고쳐서 다시 지음.

라면 아마 초만원이 되었을 거예요. 내일 은 〈지옥의 오르페우스〉를 상연하기로 했답니다. 꼭 보러 오세요."

〈지옥의 오르페우스〉는 프랑스의 작곡가 오펜바흐의 오페레타로 전 4막으로 구성되어 있어.

올렌카는 쿠우킨이 연극이나 배우에 대해 하는 말을 그대로 따라 했다. 관객에 대해서도 남편 생각과 마찬가지로 무식하다며 경멸했다. 그녀의 말과 행동은 점점 남편을 닮아 갔다.

그해 겨울에도 그들은 즐겁게 지냈다. 시내 극장을 겨울 내내 쓰겠다는 조건으로 빌려 짧은 기간씩 우크라이나의 극단이나 마술사나 그 고장의 아마추어 극단에 다시 빌려 주었다.

사랑의 기쁨으로 충만한 올렌카는 머리에서 발끝까지 아름답게 빛났다. 그러나 쿠우킨은 점점 마르고 얼굴빛은 더 누레졌다. 겨우내 사업이 꽤 잘 되었는데도 크게 손해를 봤다며 우는 소리를 했다. 그는 밤마다 쿨럭쿨럭 기침을 했다. 그러면 올렌카는 나무딸기나 보리수 꽃을 달여

먹이기도 하고, 자기가 걸치고 있던 포근한 숄을 어깨에 둘러 주기도 했다.

"당신은 정말 멋진 분이세요!"

그녀는 남편의 머리를 쓰다듬으며 애정이 담뿍 담긴 목소리로 위로했다.

얼마 뒤 쿠우킨은 극단의 단원을 모집하기 위해 모스크바로 여행을 떠났다. 올렌카는 남편이 그리워 잠을 이루지 못하고 창가에 앉아 별을 바라보며 밤을 지새웠다.

그러던 어느 늦은 밤 누군가 문을 황급히 두드렸다. 올렌카의 머릿속에 불길한 예감이 스치고 지나갔다. 잠이 덜 깬 하녀가 맨발로 물이 질퍽하게 괸 뜰을 달려 나갔다.

"빨리 문 좀 열어 주세요. 전보입니다!"

문 밖에서 누군가가 낮은 목소리로 소리쳤다.

올렌카는 전에도 남편이 보낸 전보를 받은 일이 있었지만 이번에는 느낌이 좋지 않았다. 떨리는 손으로 전보를 펴 보았다.

'이반 페트로비치 쿠우킨 씨 오늘 사망.'

302
좋지 않은 소식을 전하게 돼 유감입니다.
남편이 죽다니 믿을 수 없어요!

"여보!"

올렌카는 흐느껴 울기 시작했다.

"아, 가엾은 당신! 어째서 저는 당신을 알게 되고, 사랑하게 되었을까요? 당신을 먼저 보내고 이 불쌍한 올렌카는, 이 가엾고 불행한 올렌카는 누구를 의지하고 살란 말입니까?"

쿠우킨은 모스크바의 바간코보 묘지에 묻혔다. 묘지에서 돌아온 올렌카는 자기 방에 들어가자마자 침대에 쓰러져서 이웃집에까지 들릴 만큼 큰 소리로 울었다.

"가엾기도 해라!"

이웃 여자들은 성호를 그으며 혀를 끌끌 찼다.

그로부터 석 달이 지난 어느 날이었다. 상복을 입은 올렌카가 교회에서 돌아오는 길에 이웃에 사는 바실리 안드레이치 푸스트발로프와 나란히 걷게 되었다. 목재상을 운영하는 그도 역시 교회에서 돌아오는 길이었다.

"세상 모든 일은 미리 정해져 있습니다. 다 하늘의 뜻이니 우리는 마음을 굳게 먹고 이겨 내야 합니다."

올렌카를 대문 앞까지 바래다준 그는 정중하게 인사를 하고 돌아갔다. 그 일이 있은 후 그녀의 귀에는 하루 종일 푸스트발로프의 침착한 말소리가 들려오고, 눈을 감으면 그의 검은 수염이 어른거렸다. 올렌카는 그를 좋아하게 된 것이었다.

올렌카는 정말
누군가를 사랑하지
않고는 살 수 없는
사람인가 봐!

푸스트발로프도 그녀에게 관심이 있는 듯했다. 며칠 뒤 이웃에 사는 부인이 커피를 마시러 와서는 난데없이 푸스트발로프 씨에 대해 칭찬을 늘어놓고 간 것만으로도 충분히 짐작할 수 있었다.

"푸스트발로프 씨는 아주 착실하고 믿음직스러운 사람이야. 그 사람한테 시집가라면 누구나 혹하고 덤빌걸."

그리고 사흘 뒤 푸스트발로프가 찾아왔다. 그는 오래 앉아 있지는 않았다. 10분쯤 앉아 있었을 뿐이며 말수도 적었다. 그를 진심으로 사랑하게 된 올렌카는 뜬눈으로 밤을 지새우며 그를 생각했다. 다음 날 아

침이 채 밝기도 전에 올렌카는 이웃집 여자를 불렀다. 곧 혼담이 성사돼 두 사람은 결혼식을 올렸다.

푸스트발로프와 올렌카는 결혼을 한 뒤 행복하게 살았다. 올렌카는 남편을 도와 사무실에서 목재를 팔기도 하고 계산서를 작성作成하기도 했다.

"목재값이 해마다 20퍼센트나 오르고 있답니다. 그게 말이지요, 전에는 이 고장의 목재만 가지고도 충분했는데 지금은 해마다 모기료프까지 목재를 사러 가야 한다니까요. 그 짐삯이 얼마나 비싼지!"

목재를 사러 오는 사람이나 아는 사람들에게 이렇게 말할 때면 그녀는 두 손으로 뺨을 감싸며 아주 놀란 표정을 지어 보였다.

그녀는 자기가 오래전부터 목재 장사를 해 왔고, 이 세상에서 가장 중요하고 필요한 것은 목재인 것같이 여겼다.

하루는 아는 사람이 이렇게 말했다.

작성(作成) : 서류, 원고 따위를 만듦.

"매일같이 사무실에만 틀어박혀 있지 말고 연극이나 서커스 같은 것이라도 구경하러 가세요."

"우리 바시치카와 나는 연극 같은 것은 구경할 여유가 없답니다. 그까짓 연극을 봐야 뭐 하나 이로울 게 있어야지요."

그녀는 의젓한 말투로 대답했다.

토요일이 되면 푸스트발로프와 그녀는 저녁 미사에 참석했고, 또 일요일에는 아침 미사에 참석했다. 교회에서 돌아올 때는 정답게 어깨를 나란히 하고 걸었다. 두 사람 주위에는 기분 좋은 향기가 풍겼고, 그녀의 비단옷은 사락사락 듣기 좋은 소리를 냈다.

푸스트발로프가 목재를 구입하기 위해 모기료프에 가면 그녀는 외로워하며 매일 밤을 눈물로 지새웠다. 그럴 때면 별채에 세 들어 사는 젊은 군인인 수의관과 나누는 대화가 큰 위로가 되었다.

수의관은 아내의 행실이 좋지 못해 헤어졌는데 아들의 양육비로 매달 40루블씩을 보내 준다는 것이었다. 그 이

연극 같은 걸 봐서
뭐합니까? 우린 그럴
여유가 없답니다.
연극도 좀 보러
다니고 그러세요.

야기를 들으며 올렌카는 가벼운 한숨을 쉬었다. 그가 측은했기 때문이다.

푸스트발로프가 돌아오자 그녀는 남편에게 수의관의 불행한 가정생활을 소곤소곤 이야기했다. 부부는 서로를 사랑하면서 말다툼 한 번 없이 6년이란 세월을 평화롭게 보냈다.

어느 겨울날, 감기에 걸린 푸스트발로프가 그만 앓아누웠다. 용하다는 의사들을 불러 치료를 받았지만 넉 달을 앓은 끝에 세상을 떠나고 말았다.

다시 과부가 된 올렌카는 슬피 울었다.

"나를 두고 당신 혼자 어디로 가신단 말인가요? 저는 누구를 의지하고 살면 좋아요. 네, 여보?"

남편을 묘지에 묻고 돌아온 그녀는 흐느끼면서 넋두리를 늘어놓았다.

"당신 없이 나 혼자 어떻게 살아가란 말인가요. 내가 가엾고 불쌍하지도 않으신가요?"

그녀는 이따금 검은 옷을 입고 교회나 남편 묘지에 다

녀오는 것 외에는 외출을 전혀 하지 않았다. 그녀가 상복을 벗고, 들창의 덧문을 활짝 열어젖힌 것은 여섯 달이 지난 뒤였다.

하녀를 데리고 시장에 식료품을 사러 다니는 올렌카의 모습이 가끔 눈에 띄었으나 그녀가 어떤 생활을 하고 있는지는 추측推測을 해 보는 수밖에 없었다.

그녀가 안뜰에서 수의관과 마주 앉아 차를 마시고 있다느니, 그때 수의관은 다정한 목소리로 그녀에게 신문을 읽어 주었다느니, 그리고 또 그녀가 우체국에서 아는 부인을 만나서 다음과 같은 말을 하더라 하는 소문이 추측의 근거가 되어 주었다.

"이 고장에서는 가축 관리를 제대로 하지 않기 때문에 여러 가지 병이 퍼지고 있어요. 가축의 건강도 사람의 건강과 마찬가지로 세심한 주의가 필요해요."

그녀의 말은 수의관이 들려준 이야기 그대로이며, 지금

추측(推測) : 미루어 생각하여 헤아림.

그녀는 모든 일에 수의관과 같은 의견이었다. 그녀는 누구를 의지하지 않고서는 일 년도 살아갈 수 없는 여자였다. 지금 그녀는 자기의 새로운 행복을 자기 집 별채에서 찾은 것이었다.

이렇게 두 사람은 행복했다. 그렇지만 그 행복도 오래 가지는 못했다. 수의관이 부대를 따라 먼 곳으로 떠나 버렸기 때문이다.

이제 사랑할 사람이 없어진 올렌카는 아무 할 말도 없었고 장밋빛 뺨도, 싱그럽던 미소도 사라져 버렸다. 외톨이가 된 그녀는 하루 종일 안뜰만 멍하니 내다보았다.

수의관과 마주 앉아 차를 마시던 의자는 다리가 하나 부러진 채 먼지를 뒤집어쓰고 창고에 처박혔다. 올렌카는 아무 생각도 없이, 아무 욕망도 없이 안뜰을 내다보는 것만이 삶의 전부였다. 음식도 먹는 흉내만 냈다.

무엇보다 그녀를 불행하게 만드는 것은 자기 의견을 가질 수 없게 되었다는 것이다. 쿠우킨이나 푸스트발로프, 수의관이 곁에 있을 때는 그럴싸한 자기 의견을 말할 수 있었다. 그러나 지금 그녀의 머릿속과 마음속은 자기 집 안뜰처럼 공허空虛했다.

세월은 빠르게 흘러갔다. 이제 올렌카의 집 안뜰은 잡초와 가시 돋친 풀들만이 무성했다. 올렌카 자신도 늙어서 볼품이 없어졌다.

7월의 어느 무더운 저녁이었다. 들판으로 풀을 뜯어 먹으러 나갔던 소 떼가 뿌연 먼지바람을 일으키며 지나갈 때 누군가가 샛문을 두드렸다. 문을 열어 주려고 나갔던 올렌카는 그 자리에 굳어 버렸다. 문 밖에 수의관 스미르닌이 서 있었던 것이다. 평복 차림의 스미르닌은 이제 머리가 희끗희끗해져 있었다.

사랑할 대상이
옆에 없으면 올렌카는
삶의 의미를 찾지
못하나 봐.

올렌카는 울음을 터뜨리며 스미르닌의 가슴에 얼굴을 묻었다. 어떻게 해서 둘이 집 안으로 들어갔는지, 마주 앉

공허(空虛) : 아무것도 없이 텅 빔.

아 차를 마셨는지 전혀 기억이 없었다.

"아, 당신!"

그녀의 목소리는 기쁨으로 떨렸다.

"스미르닌 씨! 어떻게 여길 오시게 됐어요?"

"이 고장에서 살 생각으로 왔소. 군대에서 나왔거든요. 이제 자유로운 몸으로 열심히 일할 작정이오. 아들놈도 곧 중학교에 입학 시킬 때가 되었고……. 실은 아내와 화해和解를 했습니다."

"그럼 부인께서는 어디에……?"

"아들과 같이 여관에 있어요. 나는 이렇게 돌아다니며 살 집을 찾고 있습니다."

"어머, 그러시다면 저희 집으로 오세요. 저는 별채에 살면 되니까 그럭저럭 지낼 만하실 거예요. 네, 그게 좋겠어요. 집세는 한 푼도 받지 않을게요."

올렌카는 흥분이 되어 또 눈물을 흘렸다.

화해(和解) : 싸움하던 것을 멈추고 서로 가지고 있던 안 좋은 감정을 풀어 없앰.

다음 날이 되자 벌써 지붕에 새로 칠을 하고, 벽도 하얗게 칠하는 작업이 시작되고 있었다. 올렌카는 두 손을 허리에 짚고 안뜰을 이리저리 돌아다니면서 지휘를 했다. 얼굴은 예전과 같이 밝은 웃음으로 빛났고, 마치 오랫동안 잠을 자다가 깨어난 듯 몸 전체가 싱싱한 활기로 넘쳐흘렀다.

이윽고 수의관의 아내가 마차를 타고 왔다. 머리를 짧게 자른 그녀는 고집이 세어 보이는 깡마르고 못생긴 부인이었다.

그녀와 같이 온 사내아이는 이름이 사샤라고 했다. 열 살이나 되었지만 나이에 비해 키가 작았다. 맑은 하늘빛 눈동자에 양 볼에는 보조개가 패어 있었다.

사샤는 안뜰로 들어오자마자 곧 고양이를 뒤쫓기 시작했다. 아이의 밝고 즐거운 웃음소리가 집 안 곳곳에 울려 퍼졌다.

"아줌마, 이건 아줌마네 고양인가요?"

아이가 올렌카에게 물었다.

"새끼를 낳으면 한 마리만 주세요. 엄마는 쥐를 굉장히 싫어하시거든요."

사샤와 이야기를 나누며 차를 마실 때 올렌카는 갑자기 마치 이 소년이 피를 나눈 자기 아들이기라도 한 듯이 심장이 훈훈하게 고동치고 가슴이 달콤하게 죄어드는 느낌이 들었다.

그날 저녁 사샤가 식당에 앉아 공부를 하고 있을 때 올렌카는 사랑이 가득한 눈길로 아이를 바라보며 이렇게 속삭였다.

"정말 귀여운 도련님이구나. 어쩜 이렇게 똑똑하고 잘생겼을까?"

"섬은 육지의 일부로서……."

아이가 목청을 돋우어 책을 읽어 내려갔다.

"사면이 물로 둘러싸인 것을 가리킨다."

"섬은 육지의 일부로서……."

올렌카도 따라서 읽었다. 이것은 침묵과 아무 생각도 없이 보낸 긴 세월이 흐른 뒤에 그녀가 확신을 가지고 입

섬은 육지의 일부로서…….
섬은 육지의 일부로서…….

밖에 내놓은 최초의 의견이었다.

이리하여 이제 올렌카는 다시 자기 의견을 갖게 되었다. 그녀는 사샤의 부모를 상대로 요즘의 중학교 공부가 무척 어려워졌지만 그래도 중학교만 졸업하면 길은 얼마든지 열려 있어 의사가 되고 싶으면 의사가 될 수 있고, 기술자가 되고 싶으면 기술자도 될 수 있지 않느냐고 말했다.

사샤는 중학교에 입학했다. 어머니는 할리코프에 사는 여동생 집에 가더니 돌아올 생각을 하지 않았다. 아버지는 어디론가 가축을 진찰하러 나가면 사흘 동안 집을 비우는 일도 흔히 있었다.

올렌카는 사샤가 부모에게 버림받은 존재가 되었으며 이대로 두면 굶어 죽을 것만 같은 생각이 들었다. 그녀는 사샤를 별채로 데려와 작은 방을 하나 내주었다.

사샤가 그녀와 함께 별채에서 산 지도 벌써 반년이 지났다. 올렌카는 매일 아침 사샤의 방으로 들어갔다. 소년은 한 손에 뺨을 고이고 숨소리도 내지 않고 곯아떨어져 있었다. 소년을 깨우는 것이 안쓰러워 올렌카는 한참을 망설이다 가만히 어깨를 흔들었다.

"사샤."

올렌카는 애처로운 목소리로 소년을 깨웠다.

"착하지, 어서 일어나렴. 학교에 갈 시간이란다."

사샤는 눈을 비비며 일어나 옷을 입고 기도를 드린 뒤 식탁에 앉아 아침 식사를 했다. 차 석 잔과 큼직한 도넛과 버터를 바른 프랑스 빵 반쪽을 먹었다. 소년은 아직 잠이 덜 깨 기분이 좋지 않았다.

"얘, 사샤야. 너 학교에서 배운 우화를 잘 외지 못하더구나."

올렌카는 이렇게 말하고는 마치 먼 길을 나서는 자식을 배웅하는 듯한 눈길로 소년을 바라보며 말했다.

"나는 항상 네 앞날이 걱정이로구나. 열심히 공부해야 한다. 그리고 선생님 말씀도 명심해서 들어야 한다."

우화는 인격화한 동식물이나 사물을 주인공으로 하여 그들의 행동 속에 풍자와 교훈의 뜻을 나타내는 이야기를 말해.

"절 그냥 내버려 둬요. 부탁이에요."

사샤는 퉁명스럽게 내뱉고는 집을 나섰다. 자그마한 체구에 자기 머리보다 훨씬 큰 모자를 쓰고 책가방을 둘러멘 소년이 학교를 향해 걸어가면 올렌카는 살금살금 뒤를 따라갔다.

올렌카는 사샤를
아무 조건 없이 사랑하며
삶의 의미를 되찾아.

"사샤!"

사샤가 돌아다보자 올렌카는 캐러멜과 사탕을 손에 쥐어 주었다. 중학교가 있는 옆 골목으로 접어들자 사샤는 뒤에서 키가 크고 뚱뚱한 여자가 따라오는 것이 부끄러워 뒤를 돌아다보며 소리쳤다.

"아줌마, 이제 그만 집으로 돌아가요. 나 혼자서도 갈 수 있어요."

올렌카는 걸음을 멈추고 사샤가 교문 안으로 사라질 때까지 눈 한 번 깜박이지 않고 바라보았다.

아아, 그녀는 얼마나 그를 사랑하고 있는 것인가. 이제까지 그녀가 가슴에 품었던 사랑 가운데 이토록 깊은 애정을 느낀 적은 없었다.

소년을 향한 모성애母性愛는 날이 갈수록 마음속에서 불타올랐다. 지금처럼 그녀가 헌신적으로 자기 욕망을 떠나서 흐뭇한 마음으로 애정을 베푼 적은 단 한 번도 없었다. 자기와 피 한 방울 섞이지 않은 소년의 양 볼의 보조개와 커다란 학생 모자에 그녀는 감격 어린 눈물과 기쁨으로 자기 한평생을 바칠 것이었다. 도대체 그 까닭을 누가 알겠는가!

사샤를 학교까지 바래다준 뒤 그녀는 더할 나위 없이 만족스럽고 사랑이 넘쳐흐르는 마음을 안고 조용히 집으로 돌아왔다. 사샤와 함께 지낸 반년 사이 완전히 젊음을 되찾은 올렌카의 얼굴은 밝게 빛났고, 얼굴에서는 환한 미소가 떠나지 않았다.

길에서 만나는 사람들은 옛날처럼 친밀감을 느끼며 말을 건넸다.

모성애(母性愛) : 자식에 대한 어머니의 본능적인 사랑.

"안녕하세요, 귀여운 올렌카 세묘노브나! 요즘은 어떻게 지내십니까?"

"중학교 공부가 무척 어려워졌더군요."

그녀는 안부를 묻는 사람들에게 이렇게 말을 했다.

"글쎄, 어제는 1학년 아이에게 우화 암송暗誦과 라틴어 번역, 거기다 숙제 한 가지가 더 있지 뭐예요. 아직 어린 아이에게는 무리 아닐까요?"

이어 그녀는 교사들과 학과 공부, 교과서에 대한 것들을 사샤에게서 들은 이야기 그대로 늘어놓았다.

두 시가 지나 사샤가 학교에서 돌아오면 두 사람은 같이 점심을 먹고, 밤에는 같이 복습과 예습을 하느라 진땀을 흘렸다.

사샤를 재울 시간이 되면 올렌카는 오랫동안 소년을 위해 성호를 긋고는 기도를 드린다. 그리고 자기도 잠자리에 들어가 먼 미래에 대한 상상에 빠져들었다.

암송(暗誦) : 글을 보지 아니하고 입으로 욈.

귀여운 사샤에게
축복을 내려 주소서!

'사샤는 대학을 나와 의사나 기술자가 될 거야. 마구간이 딸린 큰 집에서 살며 마부도 부리게 되겠지? 결혼도 하고 예쁜 아기도 낳을 거야.'

눈을 감고 그런 상상을 하다 보면 눈물이 볼을 타고 흘러내렸다. 겨드랑이 밑을 파고들어 잠이 든 검은 고양이의 목구멍에서 가르릉 소리가 났다.

그때 갑자기 요란하게 샛문을 두드리는 소리가 들려왔다. 깜짝 놀란 올렌카는 눈을 번쩍 떴다. 겁에 질려 숨도 제대로 쉴 수가 없었다. 심장이 마구 뛰었다. 30초쯤 지나자 또 문을 두드리는 소리가 들려왔다.

'할리코프에서 전보가 왔구나.'

그녀는 몸을 덜덜 떨면서 이렇게 생각했다.

'사샤의 어머니가 사샤를 할리코프에 있는 자기 집으로 보내 달라는 거겠지?'

올렌카는 깊은 한숨을 내쉬며 중얼거렸다.

"아아, 어떻게 하나!"

절망에 빠진 그녀는 이 세상에서 자기만큼 불행한 사람

은 없다고 생각했다. 온몸이 얼음장 처럼 차가워지는 듯했다. 잠시 뒤 사람의 말소리가 들려왔다. 수의관이 돌아온 것이었다.

'아, 다행이야!'

그녀는 안도의 한숨을 몰아쉬었다. 이제야 꽉 막혔던 가슴이 서서히 뚫리면서 마음이 한결 가벼워졌다. 다시 잠자리에 든 올렌카는 옆방에서 곤히 자고 있는 사샤를 생각했다. 사샤는 이따금 잠꼬대를 했다.

"저리 가지 못해! 그만해!"

5장
가난한 사람들

칠흑같이 어두운 밤이었다.

사나운 폭풍우가 바닷가 외딴 마을에 몰아치고 있었다.

억수같이 퍼붓는 빗줄기가 가난한 어부의 초라한 오두막 창문을 사정없이 두드려 댔다.

자니는 난로 앞에서 낡아 빠진 돛을 깁고 있었다. 잠시도 쉬지 않고 몰아치는 폭풍우에 유리창이 들썩거렸고, 성난 파도가 철썩거리며 바닷가 암벽에 부딪치는 소리가 요란했다. 자니는 그 요란하고도 무서운 파도 소리에 몸서리를 쳤다.

밖에서는 폭풍우가 세상을 집어삼킬 듯 요동을 쳤지만

가난한 어부의 오두막 안은 더없이 포근하고 아늑했다. 방바닥은 비록 흙바닥이었지만 먼지 하나 없이 깨끗하게 정돈되어 있었다.

마른 나무들이 바지직 소리를 내며 난로 안에서 활활 타오르고 있었다. 방 한쪽 구석 찬장에는 반짝반짝 윤이 나게 닦아 놓은 접시와 그릇들이 가지런히 놓여 있었다. 방 저편에는 낡기는 했지만 깨끗한 이불이 덮인 큰 침대가 놓여 있었다.

빅토르 위고는
<레 미제라블> 등 주로
가난한 사람들에 관한
이야기를 많이 썼어.

낡은 카펫이 깔린 방바닥에는 바깥의 요란스러운 폭풍우에도 아랑곳하지 않고 어부의 다섯 아이들이 쌔근거리며 꿈길을 헤매고 있었다.

자니의 남편은 고기를 잡으러 바다에 나갔다. 오늘처럼 폭풍우가 몰아치는 사나운 날씨에 바다로 나가는 것은 위험한 일이다. 그러나 먹고살기가 빠듯해 날씨를 가려 가며 일할 처지가 못 되었다. 비가 쏟아지건 돌풍이 불건 바다에 몸을 맡긴 채 고기를 잡았다. 오늘도 바닷물이 방파제防波堤 위까지 넘실거렸지만 남편은 바다로 나갔다. 아내가 집에서 낡은 그물을 손질하고 아이들을 보살피고 있을 때 그는 바다 한가운데서 홀로 추위와 싸웠다.

자니는 낡은 돛을 기우면서도 마음은 줄곧 바다에 나가 있었다. 더욱이 오늘처럼 폭풍우가 거세게 몰아치면 한시도 마음을 놓을 수가 없었다. 간간이 거세게 휘몰아치는 바람 소리를 뚫고 갈매기 울음소리가 들려왔다. 비는 줄기차게 퍼붓고 있었다.

폭풍우가 몰아치는
밤에 고기를 잡으러
바다에 나갔으니 얼마나
걱정이 될까?

자니는 마음이 불안해 견딜 수 없었다. 불빛 하나 없는 깜깜한 바다에서 파도와 싸우고 있을 남편을 생각하니 불길한 예감마저 들었다. 폭풍우에 배가 난파당하는 무서운 장면이 자꾸 그림처럼 떠올랐다. 암초에 걸려

방파제(防波堤) : 파도를 막기 위해 항만에 쌓은 둑.

박살이 난 배, 물에 빠진 사람들이 살려 달라고 아우성치는 모습이 머릿속을 떠나지 않았다.

'아아, 끔찍해!'

자니는 두려움에 떨며 몸을 웅크렸다.

그때 낡은 괘종시계가 뎅뎅거리며 시간을 알렸다. 철부지 어린 것들은 아무것도 모른 채 깊은 잠에 빠져 있었다.

자니는 생각에 잠겼다. 먹고사는 일은 결코 쉽지 않았다. 남편은 매일같이 추위와 폭풍우를 무릅쓰고 바다에 나가 파도에 몸을 내맡긴 채 고기를 잡았다. 그녀 역시 이른 새벽부터 밤늦게까지 닥치는 대로 일을 했다. 그렇게 위험을 무릅쓰고, 또 부지런을 떨며 일해 봐야 입에 풀칠하기도 어려웠다.

그러나 한편으로 생각해 보면 부지런히 노력하며 산다는 것은 값지고 보람된 일이 아닌가 싶기도 했다. 어린 것들은 더우나 추우나 신발도 없이 노상 맨발로 지냈다. 그들에게 검은 보리빵은 고급 빵에 속한다. 아이들에게 날마다 검은 보리빵이라도 배부르게 먹일 수만 있다면 더 이상 바랄 게 없었다. 바닷가에 사는 덕분에 생선은 가끔 배불리 먹일 수 있었다.

제대로 먹이지도 입히지도 못하는데 아이들이 별 탈 없이 그저 건강하게 잘 자라 주는 것만으로도 감사할 따름이었다.

자니는 망망한 바다에서 홀로 파도와 싸울 남편을 생각하며 기도를 했다.

"하느님, 그이는 지금 어디에 있을까요? 부디 그이를 지켜 주세요."

유리창을 두드리는 빗줄기가 점점 거세졌다. 자니는 마음이 불안해 도저히 집 안에 있을 수 없었다. 그녀는 외투를 걸치고 램프를 든 채 문을 열고 밖으로 나왔다. 혹시 남편이 돌아오고 있는지, 파도는 좀 잠잠해졌는지, 등대에 불은 켜져 있는지 보기 위해서였다.

밖은 여전히 춥고 심한 폭풍우가 휘몰아치고 있었다. 바다로 향하던 자니의 발길이 해변 가까이에 있는 낡은 오두막 앞에 이르렀다. 허물어진 벽에 매달린 낡은 문짝

하나가 보였다. 그 문짝은 바람이 휘몰아칠 때마다 건들거리고 있었다. 폭풍우는 그 오두막을 한입에 집어삼킬 듯 세차게 몰아치고 있었다. 오두막을 지나치려던 자니는 발걸음을 멈추었다.

'어머나, 어쩌지? 내가 깜빡했어. 저 가엾은 사람을 돌봐 주었어야 하는 건데……. 그이는 아무도 돌봐 줄 사람이 없는 저 사람을 늘 걱정했는데…….'

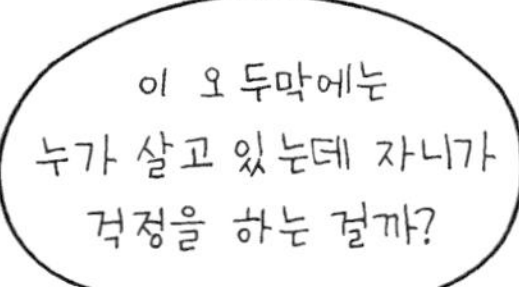

이 오두막에는
누가 살고 있는데 자니가
걱정을 하는 걸까?

자니가 문을 두드렸다. 그러나 아무도 없는지 인기척이 없었다.

"안에 누구 계세요?"

여러 차례 노크를 했지만 여전히 집 안에서는 인기척이 없었다. 온몸이 비에 흠뻑 젖은 자니의 몸이 와들와들 떨렸다. 막 발길을 돌리려는데 갑자기 몰아친 거센 바람에 자신도 모르게 몸이 문에 부딪치면서 문이 활짝 열렸다.

자니의 손에 들린 램프불이 캄캄한 그 집 안을 비춰 주고 있었다. 집 안은 바깥보다 더욱 썰렁한 기운이 감돌았다. 천장 곳곳에서는 빗물이 새고 있었다. 벽 한구석에 지저분한 짚더미가 보였다. 그 위에 여인의 시체가 놓여 있었다.

벌써 싸늘하게 식은 얼굴에는 가련한 여인의 절망과 고뇌가 고스란히 드러나 있었다. 죽은 여인의 옆에는 때에 전 이불이 있었는데, 그 이불 속에 아기들이 누워 잠을 자고 있었다. 얼굴은 해쓱하고 말랐어도 예쁜 금발 머리의 두 아기가 얼굴을 맞댄 채 평화롭게 잠들어 있었다. 시시각각으로 죽음의 그림자가 다가오는 줄도 모른 채.

어머니는 마지막 순간까지 어린 것들을 큼직한 헌 이불로 감싸 주고, 자기 옷을 어린 것들 위에 덮어 주는 일을 잊지 않은 모양이었다.

참으로 죽음보다 강한 어머니의 사랑이었다. 한 아기는 고사리 같은 뽀얀 손으로 뺨을 고이고 있었고, 다른 한 아기는 형의 목에 귀여운 자기 얼굴을 맞대고 있었다.

밖에서는 여전히 비바람이 거세게 몰아치고 있었다. 천

아, 어쩜 좋아!
진작 와 봤어야 했는데…….
아유, 가여워라!

장을 타고 내리던 비 한 방울이 죽은 여인의 얼굴에 뚝 떨어져 뺨으로 주르르 흘러내렸다. 그것은 자니가 들고 있는 램프 불에 반짝이며 마치 근심과 걱정을 안은 채 죽어야 했던 어머니의 한스러운 눈물처럼 보였다.

자니는 갑자기 외투 자락 속에 뭔가를 집어넣고 도망치듯 그 집을 뛰쳐나왔다. 심장이 거칠게 요동을 쳤다. 누군가 자기를 뒤쫓아 오는 것만 같아 걸음을 재촉했다.

집으로 돌아온 자니는 외투 속에 싸 들고 온 것을 침대 위에 내려놓고 재빨리 이불로 덮어 버렸다. 그러고는 의자에 털썩 주저앉아 침대 끝에 이마를 대고 엎드렸다. 그녀는 마치 자신을 저주하는 듯 실성한 사람처럼 중얼거렸다.

자니가 외투 속에
뭘 집어넣고 왔기에
이러는 걸까?

"그이가 돌아오면 뭐라 할까? 도대체 내가 무슨 짓을 한 거지? 아, 흑흑! 난 해서는 안 될 짓을 했어!"

그때 인기척이 들리는 것 같았다. 자니는 몸을 벌벌 떨며 의자에서 일어섰다.

"아, 그이가 아니었어! 바람이야! 하느님, 제가 왜 그런 짓을 했을까요? 남편 얼굴을 이제 어찌 본단 말입니까?"

자니는 한동안 말없이 침대맡에 앉아 있었다. 수많은 생각이 머릿속을 스쳐 지나갔다.

이윽고 비가 그쳤다. 먼동이 트기 시작하는지 유리창이 뿌옇게 밝아 왔다. 그러나 바람은 여전히 세차게 불었고, 파도 소리는 성난 외침처럼 들려왔다.

갑자기 문소리가 났다. 이어 축축하고 차가운 바람 한 줄기가 집 안으로 흘러 들어왔다. 키가 크고 얼굴이 햇볕에 그을린 건장한 어부가 갈기갈기 찢어지고 물에 젖은 그물을 질질 끌며 오두막 안으로 들어섰다.

"여보, 나 왔소!"

"오, 당신이로군요!"

자니는 엉거주춤 일어섰다.

"정말 무서운 밤이었어. 날씨 한번 사납더군."

"정말 그랬어요. 고기는 많이 잡았나요?"

"고기가 다 뭐야? 멀쩡한 그물만 찢어 먹고 말았어. 내

머리털 나고 어젯밤 같은 폭풍우는 처음이야. 이렇게 살아 돌아온 것만도 다행인 줄 알라고. 그런데 당신 왜 그러고 있는 거야?"

어부는 난로 옆에 털썩 주저앉으며 물었다.

"그게 저…… 어젯밤에 비바람 소리가 어찌나 무섭던지 혼자 있기가 무서울 정도였어요. 내내 당신 걱정만 했어요."

"그랬어? 정말 지독한 밤이었어. 그래, 밤새 어떻게 지냈어?"

어부는 걱정스러운 목소리로 말했다.

"저요? 전 그냥 평상시처럼 그물을 손질하고 있었어요. 으르렁대는 바다에 귀를 기울이면서요."

"그래서 밤을 꼬박 새운 거야?"

자니는 아무 대답도 못하고 남편의 눈치만 살피다가 더듬거리며 말하기 시작했다.

"저…… 여보! 저 아래 사는 시몬 부인이 죽었어요."

"뭐, 정말이야? 언제?"

"확실히는 모르겠지만, 아마 어제 죽은 것 같아요. 죽을 때 몹시 고통스러웠나 봐요. 어린 것들을 두고 떠나려니 얼마나 마음이 아팠을까요? 아직 말도 못하는 큰놈은 겨우 걷기라도 하지만 작은 놈은 엉금엉금 기어 다니는 갓난아이잖아요."

"정말 안됐어. 어린 것들의 앞날이 걱정이군."

자니는 남편의 말에 더 이상 대꾸를 하지 못하고 입을 다물었다. 양미간兩眉間을 잔뜩 찌푸린 남편의 표정이 너무나도 침울해 보였기 때문이다.

그럼 아이들은
아직도 죽은 엄마
곁에 있는 건가?

남편은 젖은 모자를 벗어 던지고 목덜미를 손으로 벅벅 긁으며 말했다.

"여보, 아이들이 그렇게 어리다고? 그럼 데려다 일을 시킬 수도 없잖아. 우리에게 아이들이 다섯이니 일곱이

양미간(兩眉間) : 두 눈썹의 사이.

아이들 제가
데려왔어요. 그냥 두고
올 수가 없어서…….
잘했소! 우리가
잘 키워 봅시다!

되겠군. 뭐 그래도 가끔 저녁은 먹을 수 있겠지? 여보, 그 아기들을 우리가 맡아야 하지 않겠어? 눈을 떠 보니 죽은 어머니 옆이라는 건 너무 끔찍하지 않아? 어서 가서 어린 것들을 데려와요."

그러나 자니는 못이라도 박힌 듯 좀처럼 일어서려고 하지 않았다.

"여보, 뭐해? 빨리 가서 데려오라고! 당신 싫어? 아이들을 데려오는 게 내키지 않는다는 거야? 정말 당신답지 않군."

그제야 자니는 의자에서 일어나 말없이 남편의 손을 잡아 침대로 이끌었다. 그러고는 조용히 이불자락을 걷으며 말했다.

"그 애들 여기 있어요."

침대에는 새로운 식구가 된 두 아이가 손을 맞잡은 채 깊은 잠에 빠져 있었다.

PART 3

깊어지는 논점

따뜻한 마음을 가져야
논술도 잘할 수 있단다.

깊어지는 논술

목걸이 (La Parure)

1894년에 발표된 프랑스 작가 기 드 모파상의 〈목걸이〉는 가난한 집안에서 태어났다는 것 자체부터 불행으로 생각하는 주인공 마틸드가 인간의 헛된 욕망과 허영심 때문에 인생을 낭비한다는 이야기입니다. 부자 친구에게 빌린 다이아몬드 목걸이를 잃어 버린 마틸드는 빚을 내어 진짜 목걸이를 사서 돌려준 뒤 10년간 죽을 고생을 하며 빚을 갚습니다. 하지만 알고 보니 목걸이는 가짜였다는 극적인 반전이 무척 인상적인 작품이지요.

행복한 왕자 (The Happy Prince)

1888년에 발표된 영국 작가 오스카 와일드의 〈행복한 왕자〉는 가난한 이웃에게 자신의 모든 것을 아낌없이 나누어 주며 진정한 행복을 찾는다는 이야기로 나눔을 통한 사랑의 메시지를 전하는 작품이에요. 〈행복한 왕자〉가 발표된 지 100여 년이 훌쩍 지났지

▲ 단편 소설의 걸작으로 꼽히는 〈목걸이〉, 〈행복한 왕자〉, 〈큰 바위 얼굴〉, 〈귀여운 여인〉의 표지예요.

만 오늘날 우리가 살아가는 도시가 행복한 왕자가 살았던 그 도시와 크게 다르지 않다는 것은 많은 것을 생각하게 해 준답니다.

큰 바위 얼굴 (The Great Stone Face)

〈주홍 글씨〉로 유명한 너새니얼 호손의 〈큰 바위 얼굴〉은 '참다운 위인, 참다운 삶이란 무엇인가'에 대해 생각하게 해 주는 작품이에요. 주인공 어니스트처럼 소박하고 평범한 사람일지라도 끊임없는 자기 탐구를 행하여 말과 생활이 일치되는 삶을 사는 사람이야말로 진실로 위대한 성자라는 교훈을 주는 작품이지요.

귀여운 여인 (Dushechka)

1899년에 발표된 안톤 체호프의 〈귀여운 여인〉은 톨스토이도 극찬한 작품으로 사랑하지 않고는 살 수 없는 한 여인의 삶을 통해 자신이 주체가 되지 못하는 사랑을 하게 되면 그림자 같은 삶을 살 수밖에 없다는 주제를 담고 있습니다.

가난한 사람들 (Les Pauvre Gens)

빅토르 위고의 〈가난한 사람들〉은 자신들도 비참할 정도로 가난하지만 가난한 이웃에게 따뜻한 인정을 베푼다는 마음이 훈훈해지는 이야기입니다. 가난한 사람들의 비극적인 삶과 인생의 애환을 주로 그린 위고는 프랑스의 대문호로 추앙 받고 있습니다.

기 드 모파상 (Guy de Maupassant, 1850~1893)

모파상은 단편 소설 〈비곗덩어리〉를 발표하며 작가로서 이름을 알려요. 프랑스 자연주의의 대표 작가로 꼽히는 모파상의 첫 장편 소설 〈여자의 일생〉은 오늘날에도 걸작으로 꼽히고 있습니다. 모파상은 단편 소설의 교과서로 꼽히는 〈목걸이〉를 비롯한 300여 편의 단편 소설과 여섯 편의 장편 소설을 발표했어요.

오스카 와일드 (Oscar Wilde, 1854~1900)

'예술을 위한 예술'을 추구한 작가로 알려진 와일드는 대표작 〈도리언 그레이의 초상〉을 발표한 뒤 명성을 얻었어요. 와일드는 자신의 두 아이 비비언과 시빌에게 들려주던 이야기를 모아 동화집도 펴냈어요. 동화 〈행복한 왕자〉와 〈거인의 정원〉, 〈나이팅게일과 장미〉는 오늘날에도 많은 어린이들에게 큰 감동을 주고 있지요.

너새니얼 호손 (Nathaniel Hawthorne, 1804~1864)

너새니얼 호손은 1804년 미국 매사추세츠 주 세일럼에서 태어났어요. 1850년에 발표한 호손의 대표작 〈주홍 글씨〉는 19세기의 대표적인 미국 소설로 여러 작품에 큰 영향을 끼쳤어요. 〈큰 바위 얼굴〉은 인간이 살아가면서 지녀야 할 가치와 함께 꿈이 한 인간의 삶에 미치는 영향에 대해 전하고 있답니다.

안톤 체호프 (Anton Chekhov, 1860~1904)

러시아의 소설가이자 극작가인 체호프는 인간의 속물근성을 비판하고 휴머니즘을 추구하는 뛰어난 단편 소설을 많이 남겨 세계 3대 단편 작가로 꼽히지요. 또 셰익스피어 이후 최고의 극작가로 꼽힐 만큼 극작가로도 활발한 활동을 했어요. 〈벚꽃 동산〉은 그의 대표적인 희곡이에요.

빅토르 위고 (Victor Hugo, 1802~1885)

프랑스 낭만주의 문학의 선구자였던 위고는 프랑스의 국민적인 대시인으로 불릴 정도로 프랑스 국민의 사랑을 받는 작가예요. 15세기 노트르담 성당을 배경으로 지은 슬픈 사랑 이야기 〈노트르담의 꼽추〉와 숭고한 인간애를 그린 〈레 미제라블〉이 대표작이에요.

지혜로운 생각과 따뜻한 사랑을 배워 보세요

〈세계 우수 단편 모음〉에 실린 다섯 편의 이야기를 재미있게 읽었나요? 한 편 한 편마다 지혜로운 생각과 이웃을 향한 따뜻한 사랑이 담겨 있어 많은 걸 깨닫게 해 주었을 거예요.

허영과 헛된 욕망, 나눔과 베풂, 진정한 사랑, 인간이 살아가면서 지녀야 할 가치 등에 대해 이야기하고 있는 〈세계 우수 단편 모음〉을 읽고 잔잔한 감동은 물론 깨달음을 주는 교훈도 얻었을 거예요.

〈목걸이〉는 인간의 허영이 불러온 어리석은 결과를 보여 주는 이야기입니다. 마틸드의 분수에 맞지 않는 과시욕과 허황된 허영심은 자신은 물론 남편의 삶마저도 파국으로 몰아넣지요. 결국 마틸드와 남편은 비참한 삶을 살며 인생을 낭비하고 말아요. 마틸드가 포레스티에 부인에게 목걸이를 잃어버렸다고 사실대로 말하지 못한 것 또한 허영심에서 비롯된 것이라고 할 수 있어요.

만일 마틸드가 목걸이를 잃어버렸다고 솔직히 말했다면 어땠을까요? 그랬다면 그녀는 10년간 빚을 갚느라 인생을 허비하지 않아도 되었을 거예요. 인간의 헛된 욕망이 가져온 비극을 통해 인간의 허영심이 얼마나 어리석은지 깨닫게 해 주는 〈목걸이〉는 자신이 처한 현실에 만족하며 사는 삶의 지혜를 담고 있습니다.

고귀한 희생으로 피어난 값진 사랑이 주제인 오스카 와일드의 〈행복한 왕자〉와 자신들 역시 비참할 정도로 가난한 처지임에도 이웃에게 온정을 베푸는 어부 부부의 따뜻한 마음이 감동적인 빅토르 위고의 〈가난한 사람들〉.

두 편의 이야기에서 볼 수 있듯이 나눔과 베풂은 넉넉하고 여유 있는 사람들만이 할 수 있는 일이 아니에요. 여러분도 주위에 어려운 이웃은 없는지 돌아보고 작은 손길이라도 내밀어 보세요. 여러분의 작은 손길이 어려운 이웃에게는 큰 힘이 되어 줄 거예요.

너새니얼 호손의 <큰 바위 얼굴>에서 어니스트는 산기슭에서 인자한 모습으로 내려다보는 큰 바위 얼굴을 바라보며 언젠가는 그 얼굴과 닮은 인물이 나타날 거라고 믿으며 하루하루 성실하게 살아갑니다. 어니스트는 제대로 된 학교 교육도 받지 못했고 가르침을 주는 훌륭한 스승도 없었어요. 그런 어니스트가 자신도 모르는 사이에 큰 바위 얼굴을 닮은 위대한 인물로 성장하지요.

어떻게 이런 일이 일어났을까요? 그것은 어니스트가 아름답고 선한 것을 추구하는 마음을 갖고 있었기 때문이에요. 어니스트처럼 간절히 소망하고 노력하면 어느 날 자신도 모르게 닮고 싶었던 큰 바위 얼굴이 된답니다. 여러분 마음속에 어떤 모습을 한 큰 바위 얼굴을 품고 싶은지 생각해 보세요.

“영국에 셰익스피어, 독일에 괴테, 러시아에 톨스토이가 있다면 프랑스의 대문호는 누구냐?”는 물음에 〈좁은 문〉으로 유명한 프랑스 작가 앙드레 지드는 “당연히 빅토르 위고지!”라고 했어요.

위고는 “나는 가난한 사람들의 영구차에 실려 무덤으로 가기를 원한다.”는 그의 유언에 따라 볼품없는 수레에 실려 위대한 위인들이 묻힌다는 팡테옹에 묻혔어요.

위고의 작품에는 가난하고 억압받는 사람들을 평등하게 사랑해야 한다는 박애 정신이 담겨 있답니다. 〈가난한 사람들〉에서 주인공 자니와 그녀의 남편은 가난한 살림에 다섯 아이들을 키우고 있지만 자신들보다 불쌍한 이웃을 외면하지 않고 따뜻하게 보살피고 감싸며 사랑을 베풀지요.

여러분은 다섯 편의 단편 소설을 읽고 많은 생각이 들었을 거예요. 다양한 삶을 살아가는 인간들의 모습에서 살아가면서 경계해야 할 것과 지혜와 교훈도 얻었을 것입니다. 이처럼 독서는 정신을 살찌울 뿐 아니라 생각의 폭도 넓혀 줍니다.

바로 지금 여러분 가까이에 있는 책을 한 권 집어 들고 읽어 보세요. 전에 한 번 읽었던 책이어도 괜찮고, 사 놓고 아직 읽지 못한 책이어도 좋아요.

책을 읽으면 여러분이 아직 경험해 보지 못한 다양한 삶을 통해 깨달음을 얻는 것은 물론, 삶을 살아가는 데 지침이 될 만한 지혜를 얻을 수도 있을 거예요.

<세계 우수 단편 모음>을 읽고 지혜와 따뜻한 사랑을 배웠으니 이제 실천을 해야겠지?

뒤뚱이 네가 그렇게 대견한 생각을 하다니 웬일이니? 아무튼 그 마음 변치 않길 바랄게.

PART 4

논술워크북

자기 생각을 꾸준히 글로
써 보면 논술을 잘할 수 있게 돼!

논술 워크북

논술 1단계 | 꼭 알고 넘어가요

1-1 〈행복한 왕자〉에서 천사가 그 도시에서 찾은 가장 아름다운 것들은 무엇이었나요?

1-2 〈가난한 사람들〉에서 자니가 죽은 여인의 집에서 가져온 것은 무엇이었나요?

HINT

작품을 꼼꼼히 읽고 물음에 답하세요.

2 〈귀여운 여인〉에서 사랑의 대상이 없을 때 올렌카가 부쩍 수척해지고 침울해진 까닭은 뭐라고 생각하나요?

HINT

올렌카가 누군가를 사랑할 때 어떻게 행동했는지 떠올려 보세요.

3 〈목걸이〉의 결말 부분에서 마틸드는 잃어버렸던 목걸이가 싸구려 가짜였음을 알게 되었습니다. 만약 그 뒤의 이야기를 여러분이 쓴다면, 어떤 이야기를 쓰겠습니까? 자유롭게 상상해 보고, 이야기해 보세요.

HINT

자유롭게 상상한 것을 이야기해 보세요.

4 〈행복한 왕자〉에서 제비는 '갈대 아가씨가 나를 사랑한다면 나와 함께 기꺼이 여행을 떠날 것이다. 갈대 아가씨는 여행을 하자는 내 제안을 거절했다. 그러므로 갈대 아가씨는 나를 사랑하지 않는다.' 라고 생각했습니다. 제비의 이 생각을 반박해 보세요.

HINT

제비가 생각하는 어떤 부분에 오류가 있는지 생각해 보세요.

5 다음 글은 〈큰 바위 얼굴〉의 결말 부분입니다.

어니스트는 자기 마음속에 있는 생각을 이야기하기 시작했다. 그의 말은 자신의 사상과 일치되어 있었으므로 힘이 있었다. 그리고 그의 사상은 일상생활과 조화를 이루고 있어 현실성과 깊이가 있었다. 이 설교자가 하는 말은 단순한 음성이 아니라 생명의 말들이었다. 말 속에 선하게 살아온 어니스트의 삶과 성스러운 사랑이 녹아 있었기 때문이다.

시인은 그의 이야기에 귀를 기울이면서 어니스트라는 인간과 그의 인품이 자기가 쓴 그 어느 시보다 더 고상하고 숭고하다고 느꼈다. 그는 눈물 어린 눈으로 숭고한 사람을 존경의 눈길로 우러러보았다. 풍성한 백발이 저녁 바람에 흩날리고 있었다. 온화하고 다정하고 사려 깊은 얼굴이야말로 예언자나 성자다운 모습이라고 시인은 생각했다.

저 멀리 서쪽으로 큰 바위 얼굴이 뚜렷하게 드러났다. 그 주위를 둘러싼 흰 구름은 마치 어니스트의 이마를 덮고 있는 백발처럼 보였다. 그 장엄하고 자비로운 모습은 온 세상을 감싸 안을 듯했다.

그 순간, 어니스트의 얼굴은 그가 말하고 있는 생각과 일치되어 자비심으로 가득한 장엄한 표정이 되었다. 시인은 더 이상 자신의 감정을 억누를 수 없어 팔을 높이 쳐들고 외쳤다.

"보시오! 보시오! 어니스트 씨야말로 저 큰 바위 얼굴과 똑같지 않습니까?”

사람들은 모두 어니스트와 큰 바위 얼굴을 번갈아 쳐다보았다. 이어 통찰력 깊은 시인의 말이 사실이라는 것을 알아챘다. 예언은 실현되었다.

그러나 말을 마친 어니스트는 시인의 팔을 잡고 천천히 집으로 돌아갔다. 그리고 자기보다 더 자비롭고 지혜로운 사람이 큰 바위 얼굴와 꼭 닮은 모습으로 빨리 나타나기를 마음속으로 기원했다.

–제3장–

윗글에서 이야기하고 있는 바를 바탕으로 ‘성자란 어떠한 사람인가’ 라는 주제로 논술을 써 보세요.

HINT

큰 바위 얼굴을 닮은 어니스트야말로 성자에 가까운 인물이지요.

6 다 쓴 글을 친구나 부모님 앞에서 발표해 보세요. 그리고 듣는 사람이 고개를 끄덕이는지 아니면 고개를 갸우뚱하는지 반응도 살펴보세요. 발표가 끝난 후 평가도 부탁해 보세요.

가이드북

GUIDE BOOK

책을 통해
다양한 삶을 경험하면
논술을 잘할 수 있게
된단다.

작품의 전체 줄거리

이 책은 전 세계적으로 사랑을 받는 작가들의 단편을 모아 엮었습니다. 〈목걸이〉는 빌린 목걸이가 가짜인 줄 모르고 진짜 목걸이를 사서 돌려 준 뒤 빚을 갚느라 인생을 허비한 여인의 이야기입니다. 〈행복한 왕자〉는 이집트로 가려던 제비가 동상인 행복한 왕자를 만나서 왕자의 몸을 장식한 보석과 금박들을 가난한 이들에게 가져다준다는 이야기입니다. 〈큰 바위 얼굴〉은 어린 시절부터 큰 바위 얼굴을 보면서 정직하고 성실하게 생활한 어니스트가 세월이 지나자 큰 바위 얼굴과 꼭 닮은 얼굴을 하게 되었다는 이야기이며, 〈귀여운 여인〉은 오직 사랑에서 삶의 보람과 이유를 찾을 수 있는 귀여운 여인 올렌카의 삶을 그리고 있습니다. 〈가난한 사람들〉은 가난한 어부의 아내가 어느 폭풍우가 몰아치는 밤 이웃 여인이 죽은 것을 발견하고, 남겨진 아기들을 자기 집으로 데려온다는 훈훈한 이야기입니다.

〈세계 우수 단편 모음〉의 의미

단편 소설의 교과서로 불리는 〈목걸이〉는 작품의 결말 부분에서 목걸이가 싸구려 가짜였다는 반전이 독자들에게 씁쓸한 페이소스를 느끼게 합니다. 〈행복한 왕자〉는 자신이 가진 모든 것을 가난한 사람들에게 나누어 준다는 행복한 왕자의 이야기가 슬프면서도 아름답게 그려져 있습니다. 평범하지만 고결한 사상과 마음을 지닌 어니스트가 예언에 나오는 큰 바위 얼굴과 같은 얼굴을 지닌 사람이라는 내용의 〈큰 바위 얼굴〉은 이상적인 인간상에 대한 한 편의 우화로 읽힙니다. 〈귀여운 여인〉은 자의식 없이 사랑에 모든 것을 맡기는 한 여인의 애잔한 삶을 그리고 있습니다. 〈가난한 사람들〉은 가난한 어부와 어부의 아내가 자신들의 형편이 어려움에도 불구하고 이웃을 돌보는 모습에서 따뜻한 휴머니즘을 느끼게 합니다.

1-1 사고 영역 _ 사실적 이해

본문을 잘 읽었는지 확인하는 문제입니다.

하느님의 명령으로 천사가 도시에서 찾은 아름다운 것 두 가지는 행복한 왕자의 납으로 된 심장과 죽은 제비였습니다.

1-2 사고 영역 _ 사실적 이해

본문을 잘 읽었는지 확인하는 문제입니다.

자니가 죽은 여인의 집에서 가져온 것은 엄마를 잃은 두 갓난아기였습니다. 자니는 자기 집도 가난해서 끼니를 걱정해야 함에도 불구하고 아기들을 그냥 둘 수가 없어 데리고 왔던 것입니다.

CHECKPOINT

본문을 잘 읽고 내용을 바르게 파악했는지 확인합니다.

2 사고 영역 _ 비판적 사고

인물의 행동이 나타나게 된 까닭을 분석해 보면서, 비판적 사고력을 기릅니다.

〈귀여운 여인〉의 올렌카는 누군가를 사랑하지 않고는 견디지 못하는 여인입니다. 그녀는 사랑하는 사람을 잃고 슬픔에 잠겼다가도 곧 다시 누군가와 사랑에 빠집니다. 그런데 그녀가 사랑에 빠졌을 때 사랑하는 대상의 생각과 가치관은 그대로 올렌카의 것이 됩니다. 극단을 운영하는 사람과 사랑에 빠졌을 때는 연극이 세상에서 가장 중요한 것이 되었고, 목재상을 운영하는 사람과 사랑에 빠졌을 때는 목재가 세상에서 가장 중요한 것이 되었습니다. 또 중학생인 사샤를 어머니와 같은 마음으로 사랑하게 되었을 때는 학교와 공부가 세상에서 가장 중요한 화제가 되었습니다.

올렌카의 이런 행동들을 보면 그녀에게 그녀의 자아나 생각이라는 것이 거의 존재하지 않는다는 것을 알 수 있습니다. 자기 자신을 내세우지 않기 때문에 사랑하는 상대에 따라서 생각과 의견이 바뀌게 되는 것입니다. 그렇기 때문에 사랑하는 상대가 옆에 없을 때 올렌카는 부쩍 늙고 생기를 잃어 갈 수밖에 없었던 것입니다.

CHECKPOINT

올렌카에게 사랑이 삶의 거의 유일한 보람이었다는 것을 파악해야 올렌카의 심리를 제대로 이해할 수 있습니다.

3 사고 영역 _ 창의적 사고

작품에 이어지는 이야기를 상상해 보면서, 창의력을 기릅니다.

마틸드는 잃어버린 목걸이가 아주 값진 물건인 줄 오해하고, 빚을 내어 새 목걸이를 사서 친구에게 돌려주었습니다. 그리고 죽을힘을 다해 빚을 다 갚고 난 뒤에야 목걸이가 싸구려 가짜임을 알게 되었습니다.

아마도 마틸드는 대단한 충격과 허무감에 사로잡힐 것입니다. 그동안 우악스럽게 변해 버린 자신의 외모와 태도를 새삼 돌아보면서 분하고 억울한 마음을 느끼고, 목걸이값을 돌려받아 다시 예전의 미모를 회복하기 위해 돈을 마구 쓰게 될 거라는 상상도 해 볼 수 있습니다.

반면에 마틸드가 충격을 받기는 하지만, 의외로 차분하게 그 상황을 받아들일 수도 있습니다. 십 년간 고생을 하면서 마틸드는 예전의 철없는 허영을 버리고 다른 사람이 되었기 때문이지요. 어이없는 실수를 성숙하게 받아들이고, 전처럼 아등바등 살지는 않지만 소박하고 알뜰한 주부로서 생활을 이어 나갈 거라는 예상도 해 볼 수 있을 것입니다.

정답이 없는 문제입니다. 여러분이 상상한 것을 이야기해 보세요.

CHECKPOINT

자유롭게 상상한 이야기를 말해 보는 문제이지만, 원작과 전혀 동떨어진 이야기를 상상하는 것이 아니라 원작과 이어지는 개연성이 있는 이야기를 생각해 볼 수 있도록 유도해 주세요.

4 사고 영역 _ 논리적 사고

주어진 주장을 반박해 보면서, 주장을 설득력 있게 구성하는 논술의 기초를 배우게 됩니다.

주어진 제비의 주장은 삼단 논법으로 구성되어 있습니다.

- **대전제** : 갈대 아가씨가 나를 사랑한다면 나와 함께 기꺼이 여행을 떠날 것이다.
- **소전제** : 갈대 아가씨는 여행을 하자는 내 제안을 거절했다.
- **결론** : 그러므로 갈대 아가씨는 나를 사랑하지 않는다.

그런데 삼단논법에서는 대전제와 소전제가 참이 아닐 경우에는 결론은 거짓이 됩니다. 제비의 주장에서 대전제와 소전제를 살펴보면, '갈대 아가씨가 여행을 하자는 제안을 거절했다.' 는 소전제는 참입니다.

그러나 '갈대 아가씨가 나를 사랑한다면 나와 함께 기꺼이 여행을 떠날 것이다.' 라는 대전제에는 오류가 있습니다. 갈대 아가씨가 제비를 사랑한다 해도 함께 여행을 떠날 수 없는 명백한 이유가 있기 때문이지요.

날개가 있어 어디든지 날아갈 수 있는 날짐승인 제비와 달리 갈대 아가씨는 한자리에서 죽을 때까지 뿌리박고 살아야 하는 식물이어서 여행을 할 수 없음을 제비는 간과하고 있는 것입니다. 제비는 마침 갈대 아가씨에게 싫증이 난 터에 떠나야만 할 때가 점점 가까워 오자 그릇된 주장으로 갈대 아가씨를 비난하며 떠나려 한 것입니다.

CHECKPOINT

제비의 주장 가운데 대전제에 오류가 있다는 것을 지적할 수 있어야 합니다.

5 사고 영역 _ 논리적 사고

제시문을 읽고서 주어진 주제에 대하여 논술하는 문제입니다.

제시문에는 어니스트가 예언 속의 인물이라는 것이 드러나 있습니다. 작품에서 큰 바위 얼굴은 지극히 높은 가치, 혹은 완성된 인격을 상징합니다. 그러므로 큰 바위 얼굴을 닮은 사람은 위대한 사람이나 성자라고 할 수 있습니다. 그런데 어니스트는 돈이 많지도 않고, 높은 지위에 있지도 않고, 대단한 학식을 쌓았거나 예술에 재주가 있는 사람이 아닙니다.

그런데도 그가 성자가 될 수 있었던 까닭은 어린 시절부터 큰 바위 얼굴을 동경하면서 경건한 믿음과 소망의 마음을 키워 왔기 때문입니다. 제시문에는 그러한 어니스트의 내면이 이렇게 표현되어 있습니다.

'그의 말은 자신의 사상과 일치되어 있었으므로 힘이 있었다. 그리고 그의 사상은 일상생활과 조화를 이루고 있어 현실성과 깊이가 있었다. 이 설교자가 하는 말은 단순한 음성이 아니라 생명의 말들이었다. 말 속에 선하게 살아온 어니스트의 삶과 성스러운 사랑이 녹아 있었기 때문이다.'

여기에서 주목해야 할 점은 어니스트의 사상과 말이 그의 일상생활과 일치되어 있다는 점입니다. 선과 진실 같은 가치를 말로만 떠드는 것이 아니라 사상과 일치되어 있는 점, 생각만 하는 것이 아니라 평생에 걸쳐서 행동으로 실천을 해 왔다는 점이 어니스트의 얼굴에 성자와 같은 빛으로 나타난 것입니다.

CHECKPOINT

제시문에서 '언행 일치'가 어니스트를 성자로 보이게 했다는 점을 읽을 수 있어야 합니다.

다음은 논술 5단계 문제에 대한 예시 글입니다. 지도에 참고하시기 바랍니다.

우리는 흔히 대단히 뛰어난 재주를 갖고 있거나 대단한 업적을 이룬 사람만이 위인이나 성자로 불릴 수 있다고 여깁니다. 그러나 〈큰 바위 얼굴〉을 읽으면 꼭 그렇지만은 않다는 점을 깨달을 수 있습니다.

어니스트는 큰 바위 얼굴을 바라보면서 자기 자신의 내면을 가다듬었습니다. 긴 세월에 걸쳐 믿음과 소망을 간직해 온 그의 내면은 누구보다 고결하고 심오해졌습니다. 그리고 마침내 그는 큰 바위 얼굴과 똑같은 얼굴을 지닌 위대한 사람, 성자가 되었습니다. 어니스트가 다른 사람과 달랐던 점은 그의 말과 사상이 행동과 일치했다는 점입니다. 선과 진리를 말하는 그의 웅변은 그의 사상과 일치했으며, 그의 사상은 오랜 세월 실행해 온 덕행과 순수하고 소박한 생활과 완벽하게 일치하는 것이었습니다. 그래서 그의 얼굴 모습은 큰 바위 얼굴과 일치할 수 있었던 것입니다.

우리는 개인적으로나 사회적으로 대단한 일을 성취한 사람이라 해도 위인이나 성자라고 부를 수 없는 경우를 자주 목격합니다. 그들은 종종 겉으로는 그럴 듯한 말을 늘어놓으면서 치명적인 도덕적 결함을 내보이는데, 이것은 말과 행동의 불일치를 보여 주며 사람들을 실망시킵니다.

반면에 〈큰 바위 얼굴〉의 어니스트와 같이 눈에 잘 띄지 않는 평범한 사람이라고 해도 그에게서 고결함이나 신성함 같은 성자의 향기가 풍기는 경우를 볼 수 있습니다. 예를 들어 평생을 부지런히 일해서 많은 돈을 모았지만 검소하게 살다가 전 재산을 자선 단체에 기부하는 사람들 같은 경우가 그렇습니다. 성자와도 같은 그들의 삶은 사람들을 감동시키기에 부족함이 없습니다.

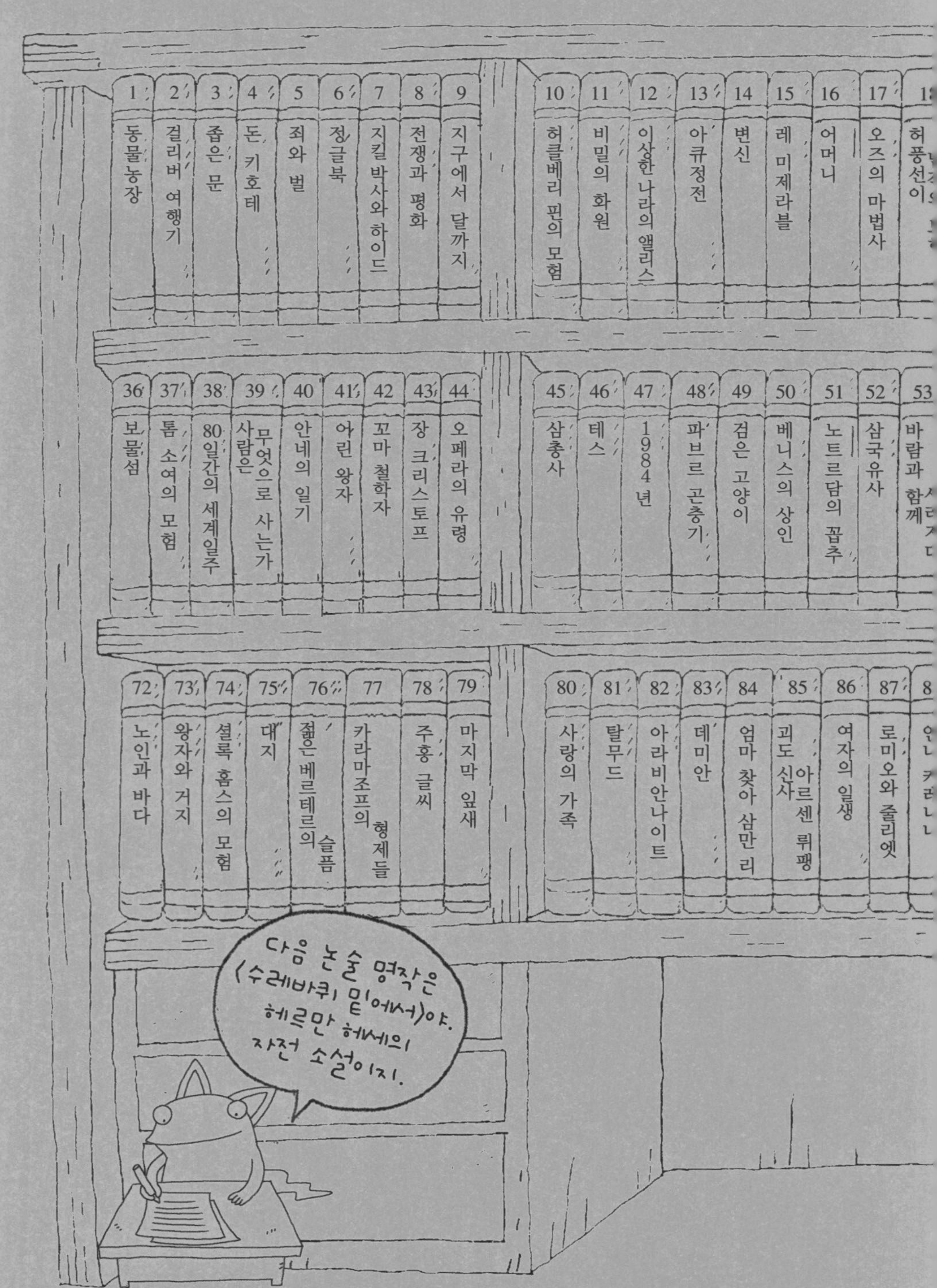
1 동물농장
2 걸리버 여행기
3 좁은 문
4 돈 키호테
5 죄와 벌
6 정글북
7 지킬 박사와 하이드
8 전쟁과 평화
9 지구에서 달까지
10 허클베리 핀의 모험
11 비밀의 화원
12 이상한 나라의 앨리스
13 아큐정전
14 변신
15 레 미제라블
16 어머니
17 오즈의 마법사
36 보물섬
37 톰 소여의 모험
38 80일간의 세계일주
39 사람은 무엇으로 사는가
40 안네의 일기
41 어린 왕자
42 꼬마 철학자
43 장 크리스토프
44 오페라의 유령
45 삼총사
46 테스
47 1984년
48 파브르 곤충기
49 검은 고양이
50 베니스의 상인
51 노트르담의 꼽추
52 삼국유사
53 바람과 함께
72 노인과 바다
73 왕자와 거지
74 셜록 홈스의 모험
75 대지
76 젊은 베르테르의 슬픔
77 카라마조프의 형제들
78 주홍 글씨
79 마지막 잎새
80 사랑의 가족
81 탈무드
82 아라비안나이트
83 데미안
84 엄마 찾아 삼만 리
85 괴도 신사 아르센 뤼팽
86 여자의 일생
87 로미오와 줄리엣
다음 논술 명작은 〈수레바퀴 밑에서〉야. 헤르만 헤세의 자전 소설이지.

20 제인 에어
21 올리버 트위스트
22 피터 팬
23 위대한 개츠비
24 닐스의 이상한 모험
25 오만과 편견
26 로빈슨 크루소
27 홍당무
28 타임머신
29 파우스트
30 파랑새
31 톰 아저씨의 오두막
32 폭풍의 언덕
33 작은 아씨들
34 알프스 소녀 하이디
35 크리스마스 캐럴
55 키다리 아저씨
56 해저 2만 리
57 별
58 적과 흑
59 압록강은 흐른다
60 시턴 동물기
61 도리언 그레이의 초상
62 난중일기
63 쿠오바디스
64 몬테크리스토 백작
65 빨간 머리 앤
66 15소년 표류기
67 구운몽
68 목로주점
69 부활
70 일리아드
71 모비 딕
90 눈의 여왕
91 말괄량이 길들이기
92 악동 일기
93 사랑의 학교
94 플랜더스의 개
95 플루타르크 영웅전
96 그리스 로마 신화
97 인형의 집
98 세계 우수 단편 모음
규범과 의무만을 강요하는 교육 제도 아래서 고통 받는 한 소년의 성장기를 그린 작품이야.
'수레바퀴'는 자유를 억압하는 학교와 사회를 상징해.
논술 명작 99 수레바퀴 밑에서
참다운 교육이 무엇인지 되돌아보게 하는 작품이란다.